大唐文脉

李旭东 · 著

化学工业出版社
· 北 京 ·

内容简介

本书是以唐朝文学家为主题的历史书。书中通过对多位唐朝文学家的全面介绍和深入解读，辅之以名篇名作和丰富史料，串联起大唐盛世的辉煌历史，讲述了唐朝历史的兴衰沉浮，诠释了唐朝文人的精神风骨，展现了唐朝文学的风雅绝伦。在唐朝错综复杂的发展历程和云谲波诡的政治环境中，一条清晰有力的大唐文脉，随书中或感人或诙谐的文字，于读者眼中慢慢显露而出。

图书在版编目（CIP）数据

大唐文脉 / 李旭东著. — 北京 ：化学工业出版社，2024. 5

ISBN 978-7-122-45260-3

Ⅰ. ①大… Ⅱ. ①李… Ⅲ. ①作家 - 人物研究 - 中国 - 唐代 Ⅳ. ①K825. 6

中国国家版本馆 CIP 数据核字（2024）第 056995 号

责任编辑：邵轶然　　装帧设计：王　婧

责任校对：李雨晴

出版发行：化学工业出版社（北京市东城区青年湖南街 13 号　邮政编码 100011）

印　　装：盛大（天津）印刷有限公司

710mm × 1000mm　1/16　印张 19¾　字数 195 千字　2026 年 1 月北京第 1 版第 1 次印刷

购书咨询：010-64518888　　售后服务：010-64518899

网　　址：http://www.cip.com.cn

凡购买本书，如有缺损质量问题，本社销售中心负责调换。

定　　价：98.00 元

前言

在经历了一场疾风骤雨之后，繁盛一时的大唐忽然变成一个泥塑的巨人，经过多年的剥蚀之后轰然倒地。曾经铭记盛唐昌盛的大明宫湮没在滚滚红尘之中，曾经记述盛唐繁华的东西市消失在茫茫历史深处，唯有饱经沧桑的大雁塔仿佛一位垂垂老者仍在默默诉说着往昔的荣耀。在大唐 289 年的盛衰兴亡中，涌现出众多足以彪炳千秋的耀眼之星。

“初唐四杰”是万千民众顶礼膜拜的人气偶像，王勃六岁能文，骆宾王七岁成诗，杨炯十一岁参加神童举一举高中，卢照邻十几岁时便声名远播，但鲜为人知的是他们仕途坎坷、人生多舛。

“初唐四杰”相继凋零后，大唐诗坛并未因此变得沉寂，反而先后涌现出“诗魂”陈子昂、“诗仙”李白与“诗圣”杜甫三位伟大诗者。王维、孟浩然、韦应物与柳宗元都对田园生活有着深深的眷恋，在诗情画意中给人清新淳美之感。高适、岑参、王昌龄、王之涣心系边塞，写出无数慷慨激昂的诗句。

生活在中唐的韩愈、刘禹锡与李贺承上启下，承前启后。宋代大文学家苏轼盛赞韩愈："匹夫而为百世师，一言而为天下法……文起八代之衰，而道济天下之溺；忠犯人主之怒，而勇夺三军之帅……""元轻白俗，郊寒岛瘦"，元稹、白居易与孟郊、贾岛各具特色，各成一派，不同的诗风也折射出他们不同的人生、不同的感悟，还有不同的心境。

晚唐诗人大多透着无尽的悲凉。李商隐卷入党争蹉跎一生，久居下僚，抑郁失志。面对黯然的仕途与逝去的爱情，李商隐织出一张无题的网，千百年来不知网住了多少人的心，也让多少人情难自禁，潸然泪下！杜牧是沉迷于青楼的大才子，虽然政治才华出众，但在江河日下的晚唐却始终没有出头之日。温庭筠智商出众，情商不够，大半生无官可当，步入仕途后又连遭贬谪。他放达不羁的外表下其实藏着一颗忧国忧民之心，可惜心怀天下却又个性十足的他在晚唐已无立足之地，只能随着远去的大唐盛世一同凋零。韦庄近六十岁进士及第，国运衰微时仍毅然入仕，位至宰相，终恍然梦及，醒来成空，他不止一次地告诉自己：过去永远也回不去，长安永远也回不了！

虽然光耀千古的大唐如今只能残存在人们的记忆之中，但大唐才子们创作的那些脍炙人口的诗篇却依旧光耀千古，"尔曹身与名俱灭，不废江河万古流"！

目 录

第一章

宁为百夫长，胜作一书生

——『初唐四杰』的悲剧人生

此时的大唐万象更新，一派蒸蒸日上的气象，恰在此时“初唐四杰”高调地登上了历史舞台，缔造了传奇，也惊艳了世人。

王勃六岁能文，构思巧妙，辞藻华美；杨炯十一岁参加神童举，一举高中，引得朝野瞩目；卢照邻十几岁时博学一方，声名远播；骆宾王七岁成诗，一首《咏鹅》至今仍是耳熟能详的唐诗名篇。

“初唐四杰”成为当时万千民众顶礼膜拜的人气偶像，留下的那些脍炙人口的千古名篇至今仍在交口传诵，但鲜为人知的是他们居然全都仕途坎坷、人生多舛：王勃溺水而亡；卢照邻投河而死；骆宾王不知所终；杨炯虽得以善终，却也是蹉跎一生。

这四位举世瞩目的神童为何均以悲剧落幕？他们在命运的旋涡中又有着怎样的痛苦挣扎？在官场的染缸中又有着怎样的无奈慨叹？究竟是性格使然，还是时代使然？

在人生最华丽时刻谢幕——王勃

王勃出生于永徽元年（公元650年），杨炯也恰好在这一年出生，此时骆宾王已经三十二岁；卢照邻也已二十一岁，由于唐朝人结婚生子普遍比较早，因此他与王勃和杨炯两人几乎隔了一代人。

王勃出生于书香门第。祖父王通辞官归隐，著书讲学，所著《元经》《中说》成为畅销不衰的考试辅导用书；父亲王福畤也是饱读诗书，曾任太常博士，相当于如今北大清华的教授，后升任雍州司户参军。

王勃自幼在诗书之家耳濡目染，很快便成为当地远近闻名的学霸，一起跑便将同龄人远远地甩在自己身后。他九岁时读经学大家颜师古作注的史学名篇《汉书》，发现其中居然有许多错误，于是便撰写了长达十卷的《指瑕》，对其中的错误一一进行更正。一个只有如今小学生那么大的孩子居然能指摘经学大家的不足，可见年龄尚幼的王勃是多么博学多才！

显庆五年[1]（公元660年），十一岁的王勃毅然决然地离开了家乡绛州龙门县（今山西河津），踏上了漫漫求学路。他此行的目的是向长安名医曹元学医，从而更好地侍奉自己的父母，回馈他们的养育之恩，他觉得“人子不知医，古人以为不孝”。

这是王勃第一次来帝都长安，一进城便被眼前的繁华彻底震惊了：三

---

❶《王勃文集·卷四·黄帝八十一难经序》记载：“以大唐龙朔元年，岁次庚申……”但龙朔元年为辛酉年，庚申年应为前一年显庆五年。

城层环，六坡相对；布局对称，街衢宽阔；坊里齐整，形制划一；渠水纵横，绿荫蔽城，郊环祀坛，城内百业兴旺，宫殿参差毗邻。雄心勃勃的王勃想要在长安这座更大的舞台上尽情施展自己的才华。

龙朔二年（公元662年）夏，十三岁的王勃结束了长达数月的学医之旅，怀着一丝失落依依不舍地离开了长安，回到了自己的家乡。不过他的内心却再也难以平静，时时刻刻想着重回长安，在那里尽情地追逐自己的梦想，激扬文字，挥斥方遒。

王勃认为，若想实现自己的抱负，必然要出仕为官，于是给家乡的父母官呈送《上绛州上官司马书》。随后他又上书宰相刘祥道直陈政见，刘祥道看后赞赏道："此神童也！"

此时王勃年龄虽不大，却已然成长为文学大家，作品中总是充盈着"高情壮思"与"雄笔奇才"的雄壮，折射出"气凌云天，字挟风霜"的风骨，夹杂着"感序缘情，登高寄赏"的隽永。

王勃通过朝廷重臣接连向高宗皇帝李治进献《乾元殿颂》与《宸游东岳颂》，这两篇文章虽也是在歌功颂德，却又不落俗套，写得气象万千，高宗皇帝李治看后不禁叹赏连连，由此记住了"王勃"这个名字。

乾封元年（公元666年），王勃来到长安参加制举幽素科考试。制举通常由皇帝亲自担任主考官，高宗皇帝李治在应试者中看到了王勃这个熟悉的名字，顿时便想起了那个有所耳闻却素未谋面的神童，于是便将他判为高等，在授官时给予优待。

当时幽素科及第者只有十二个人，王勃是其中最年轻的，只有十七岁。王勃被朝廷授予文散官朝散郎（从七品上阶），随后担任职事官沛王府修撰，成为沛王李贤的亲信。很多贡举进士科出身之人只会得到从九品的出身，往往要守选若干年后才有资格参加铨选，铨选通过后才能正式为官。才华横溢的王勃未及弱冠（即举行成人礼）便成为七品官，担任的还是前途无量的王府官，可谓羡煞旁人。

一个未成年人顿时便秒杀了那些寒窗苦读十几载甚至几十载的成年人，年纪轻轻的王勃有着骄傲的资本。但正是因为他的骄傲，才酿成了悲剧性结局！

王勃可谓成也文采败也文采，风光无限的他仅仅因为一篇满是戏谑之言的檄文，便使得自己原本一片光明的前途陡然间黯淡下来。

总章二年（公元669年），沛王李贤与英王李显（也就是后来的中宗皇帝）斗鸡。为了给赏识自己的主公沛王李贤助兴，王勃竟卖弄而又戏谑地写了一篇《檄英王鸡文》，无非是为了博沛王一笑。可檄文是一种颇为庄重的官用文书，通常用于声讨敌人和揭发罪行，斗鸡本就是上不得台面的娱乐活动，皇子沉溺于斗鸡属于不雅之事，王勃居然还为此专门写就一篇严肃的檄文，可谓在不知不觉间犯了皇家大忌！

高宗皇帝李治很快便得知了此事，看过那篇《檄英王鸡文》后不禁龙颜大怒，愤懑道：“王勃真乃歪才！二王斗鸡，王勃不仅不劝诫，反倒写檄文，夸大事态，挑拨离间，此人万万留不得！”

王勃当即被罢了官，落寞地离开了长安。百无聊赖的王勃前往蜀地旅游散心，那里的山山水水也就此深深镌刻在他的心中。

多年后，王勃的一个好友杜少府即将前往蜀地任职。分别之际，他写下“海内存知己，天涯若比邻”相慰勉，一扫惜别伤离的哀婉气息，仿佛跟随好友的足迹又回到了自己心心念念的蜀地。

王勃在旅行途中偶遇比自己年长二十岁的卢照邻，两人携手开启了一段说走就走的旅行。由于两人在文坛上都有着极大的名气，无论走到哪里，州县官们都邀游宴饮，吟诗作文。王勃虽表现得洒脱不羁、无拘无束，但这次贬谪带给他的却是永远难以弥合的心灵创伤。

咸亨三年（公元672年），王勃与卢照邻重返长安。但王勃回京不久便生了一场大病。病榻上，王勃完成了一次重要的人生蜕变。虽然他不过二十出头，却已然显露出老气横秋之象——或许是之前的人生太过顺遂了，一次人生挫折便轻而易举地将他击倒，他再也没有真正地站起来过。

那些在政治上呼风唤雨的政治强人无不经历过仕途的起起伏伏，无论是居庙堂之高，还是处江湖之远，即便是险些有性命之忧，济世安民的初心依旧不改。可年纪轻轻的王勃经此打击后居然生出了消极避祸的思想，觉得与其在险恶的宦海中沉浮，不如在这世间做一个潇洒快活之人！

由于丢了官，王勃只得重新参加铨选，等待朝廷重新安排工作。主持铨选事务的吏部侍郎裴行俭原本对他颇为赏识，要求王勃提供新作的诗文，想要借此进一步提高他的知名度，以期能给他安排个好工作，却被他婉言拒绝了。

王勃不想继续留在令他有些生畏的长安，于是前往虢州（今河南灵宝）担任参军。初唐时，京官大多不愿离京出任地方官，王勃如此做无异于自毁前程。他之所以执意前往虢州任职，是听担任虢州司法的朋友凌季友说虢州药材资源丰富——王勃对自己的仕途心灰意冷，却对研究医术草药越来越热衷。

王勃自以为离开了长安便可以彻底远离那些是是非非，但逃避解决不了问题。他并未认真反省自己，很快便因不理智的举动险些招来杀身大祸。

王勃来到虢州后表现得很是高冷，同僚们在他的眼中皆是些粗鄙不堪之辈。在官场上混，最重要的是口碑与人缘，王勃恃才傲物的性格使得他四面树敌，处境堪忧。

上元元年（公元674年），一个名叫曹达的官奴因触犯刑律而遭到朝廷追捕，王勃不知与此人究竟有何交情，居然胆大妄为地将此人藏匿起来。可抓捕曹达的风声越来越紧，王勃也越来越恐惧，怕不慎走漏了风声会牵连到自己，于是便杀了曹达。东窗事发后，王勃依律被判处死刑。

《旧唐书》暗示这件事是那些与王勃有过节的同僚故意给他设下的圈套，不管是不是圈套，王勃在处理这件事时都表现得极不成熟，以至于酿成了无法挽回的大错。

就在性命堪忧之际，王勃幸运地遇到了朝廷大赦，不过他的父亲王福畤却因受到他的牵连从雍州司功参军（正七品下阶）被贬为交趾县令。唐朝的县分为三六九等，不同等级的县的县令品级也是高低不同，如京县县令为正五品上阶，地位最低的下县县令仅为从七品下阶，两者居然相差了11阶之多。交趾县为中下县，县令为从七品上阶。如果单纯看品级，落差似乎并不是很大，可交趾却远离中原，早在汉代时便是官员的流放之地。

素来仁孝的王勃自觉对父亲百般愧疚，在《上百里昌言疏》中说："辱亲可谓深矣。诚宜灰身粉骨，以谢君父……此皆勃之罪也，无所逃于天地之间矣。"父亲因他而贬官，这个巨大的打击丝毫不亚于他自己被判处极刑！

王勃出狱后赋闲在家一年多，此时朝廷准许他官复原职。王勃的仕途生涯虽只有短短的八年时间，却两度被罢官，还险些丢了性命，此时心有余悸的王勃视宦海为畏途，并未接受朝廷的任命，结束了自己短暂而又曲折的为官生涯。

上元二年（公元675年）秋，王勃决意前往遥远的交趾去探望朝思暮想的父亲，从洛阳出发沿运河南下。

当年九月初九，王勃抵达江南重镇洪州。恰逢当地一件文学盛事，他也机缘巧合地在这里写就了此生最为脍炙人口的诗篇！

滕王阁修葺一新后，洪州都督利用重阳节之机在阁中大宴宾客，一时间轰动了整个洪州城。恰巧路过的王勃也饶有兴趣地前去看热闹，他虽不在邀请之列，但这位阎姓都督早就听闻过他的名声，便颇为热情地款待了他。

阎都督此番大宴宾客是为了让自己的女婿孟学士趁机扬名。为此，孟学士事先准备好了一篇序文，想要凭借这篇绞尽脑汁写就的序文在宴会上大放异彩，大出风头。

席间，阎都督命手下人拿出纸笔，假意邀请诸人为此次盛会作序。宾客们对阎都督的小心思看得很是真切，自然是纷纷推辞。一直跃跃欲试的孟学士早就有些按捺不住了，可就在此时，意料之外的事情却发生了——王勃这个不速之客居然不识时务地接过纸笔，还不假思索地写了起来。

阎都督没有想到王勃如此不懂人情世故，自然心生不悦，拂衣而走。等到心中怒气渐渐消散后，他又好奇名动天下的王勃究竟会写出怎样的序文，于是便打发下人前去一探究竟。

不一会儿，下人回来说王勃所作序文开首写的是“豫章故郡，洪都新府”。阎都督失望地摇了摇头说：“不过是些老生常谈之语，毫无新意可言！”

下人再去打探，回来后说王勃写的是“星分翼轸，地接衡庐”。阎都督听后沉吟不语，觉得这个王勃还真是名不虚传。

下人又去探听后，回来禀报说王勃写的是“落霞与孤鹜齐飞，秋水共长天一色”。阎都督听后随即坐直了身子，叹服道：“王勃乃是真天才，此序定当永垂不朽！”

触景生情的王勃可谓才思泉涌，挥笔写就那篇著名的《滕王阁序》后，又顺势写下一首序诗：

滕王高阁临江渚，佩玉鸣鸾罢歌舞。

画栋朝飞南浦云，珠帘暮卷西山雨。

闲云潭影日悠悠，物换星移几度秋。

阁中帝子今何在？槛外长江空自流。

见离场的阎都督又回到席上，王勃故意在这首诗最后一句空了一字，呈给阎都督后便告辞而去。

阎都督津津有味地读起了这首诗，正要开口夸赞，却突然发现最后一句居然空着一字，空缺处应该填上什么字才能与整首诗的意境相吻合呢？

旁观的宾客们你一言我一语，有的说应填“水”字，有的说应填“独”字，但阎都督听后都不太满意，赶忙派人去追已然离去的王勃。

阎都督的手下快马追上了王勃的家仆，想请王勃回去补上所缺之字，可家仆却说：“我家公子有言，一字值千金，还望阎都督海涵。”

手下将老仆之言禀报了阎都督，阎都督虽心有不悦，但那首朗朗上口的诗空着一个字却着实让人很是难受，随即命人备好一千两银子。

阎都督提着沉甸甸的银子亲自登门。王勃问明来意后，故作惊讶道：“何劳都督下问，晚生又岂敢空字呢？”

阎都督听得一头雾水，诗句中明明空了一字，王勃为何不肯承认呢？

望着疑惑不解的阎都督，王勃笑道：“空者，空也！阁中帝子今何在？槛外长江空自流。”

阎都督觉得甚是精妙，连连夸赞道：“虽是一字千金，但这银子却花得值！”

王勃离开了大放异彩的洪州，继续踏上南下之路。但让所有人都始料未及的是，这居然是一条不归路！

当年年底，一路风尘仆仆赶来的王勃终于见到了朝思暮想的父亲，见父亲在当地的生活很是困顿，心中愧疚之情便愈发浓烈。

相聚的时光总是短暂的，王勃心中纵有万千不舍，但还是要离开了，谁知这一去竟成为永诀！

上元三年（公元 676 年）八月，王勃从交趾坐船北归。当时正值夏季，南海风急浪高，王勃不幸溺水，惊悸而死，生命永远定格在了二十七岁[1]。

此时长安城中仍在竞相传诵王勃所作《滕王阁序》。高宗皇帝李治读过序文后，也被“落霞与孤鹜齐飞，秋水共长天一色”这一句深深震撼，惊道：“此乃千古绝唱，王勃真乃天才也！”

李治又读了那首诗，连声叹道：“好诗，好诗！王勃可谓罕世之才，罕世之才！王勃现在何处？朕要召他入朝！”

身边太监吞吞吐吐道：“王勃已然落水而亡！”

李治喟然长叹，自言自语：“可惜，可惜，可惜！”

三声沉重的叹息，仿佛是那个时代对一代英才早逝的巨大惋惜。虽然王勃的人生极为短暂，但正如杜甫所言：“尔曹身与名俱灭，不废江河万古流。”王勃的诗、王勃的赋、王勃的才情、王勃的坎坷，并未随着他的身死而陨灭，而是如同奔流不息的江河一样永远地留在了这人世间！

---

❶《旧唐书》记载王勃去世时二十八岁；《新唐书》记载王勃去世时二十九岁；但据同时代杨炯所作《王勃集序》记载，王勃卒于上元三年，去世时应为二十七岁。

一生不幸，却幸得善终——杨炯

名将裴行俭一向有伯乐的美名，曾如此评价“初唐四杰”：“四子不能成远大之器者傲也，惟杨炯稍沉静，应得令终，余三子不得其死。”裴行俭果然言中，四人之中只有杨炯一人得以善终。

王勃十七岁为官已然惹得无数人艳羡，但杨炯十一岁便开始为朝廷工作，可谓妥妥的“童工”。

显庆五年（公元 660 年），杨炯参加了童子举考试，这种考试的考生一般限定为十岁以下的儿童，不过年龄要求却并不是特别严格，杨炯参考时已然超龄了一岁。

在朝廷规定的经书范围内，能背诵七卷的将会给予出身，也就是当官的资格，若是能背诵十卷便可直接授予官职，如因善于理财而著称的代宗朝宰相刘晏七岁时童子举及第，被授予秘书省正字的官职。杨炯并没有刘晏那么幸运，他并未被授予正式官职，而是待制弘文馆。这只是个体制外的使职，所以他还不能算作真正的官员。

弘文馆隶属门下省，馆内藏书多达二十余万卷。杨炯在这里可以畅游于书籍的海洋，还可以向当时最顶尖的学者求教，从一个少不更事的孩童逐渐成长为一个心怀大志的青年。

总章元年（公元 668 年），身为沛王府修撰的王勃与杨炯相识了，两人在秋日里一起登高抒怀。

由于深深敬佩才学出众的杨炯，极少夸赞旁人的王勃居然颇为罕见地不吝溢美地赞道：“杨学士天璞自然，地灵无对。二十八宿，禀太微之一星；六十四爻，受乾坤之两卦。论其器宇，沧海添江汉之波；序其文章，玄圃积烟霞之气，几神之外，犹是卿云，陶铸之余，尚同嵇阮。接光仪于促席，直睹明月生天；响词辩于中筵，但觉清风满室。”

杨炯听到这些夸赞后心中却不免泛起阵阵苦涩。他与王勃同年，但王勃已然是朝中七品官，他却只有出身并无官职。这或许与他孤芳自赏的性格有关，自以为才华出众，便一味地沉溺于自己的世界之中，并不太在意旁人的感受。不过此时的他尚未意识到自身存在的问题。

杨炯曾不屑地称呼那些身居高位的不学无术之徒为“麒麟楦”。麒麟楦指的是演出时用驴子装扮而成的麒麟，看着虽像模像样，其实却是金玉其外败絮其中。正因杨炯的清高，残酷的现实给了他一记响亮的耳光！

转眼十五年的时光悄然逝去，杨炯却仍旧待制弘文馆。眼见同僚们一个接一个得到提拔重用，唯独他仍旧孤独地与书相伴，他心中充塞着无尽的苦闷，只能把满腔郁闷诉诸笔端。

杨炯为此写下了《青苔赋》：“苔之为物也贱，苔之为德也深。夫其为让也，每违燥而居湿；其为谦也，常背阳而即阴。重扃秘宇兮不以为显，幽山穷水兮不以为沉。有达人卷舒之意，君子行藏之心。”杨炯以青苔自喻，青苔达而不显、穷而不沉、舒卷自如、隐晦曲折、含而不露，他借青苔暗暗告诫自己一定要沉住气，慢慢等待合适的机会！

杨炯还写下了《幽兰赋》:“闻昔日之芳菲，恨今人之不见。至若桃花水上，佩兰若而续魂……虽处幽林与穷谷，不以无人而不芳。”杨炯将自己比作身处幽谷无人问津的兰花，当下虽无人观赏，却依旧默默吐露着自己的芬芳!

上元三年(公元676年)，仕途困顿的杨炯参加了制举考试，中第后被授予校书郎，这是个正九品上阶的小官。但王勃同样以制举入仕，却被直接授予七品官，两人的差距显而易见。

校书郎品级不高，工作内容也比较枯燥，平日里负责校正典籍、刊正文章，却属于受世人看重并且升迁比较快的“清官”。能够在从政之初便担任此职，要么是背景深厚之人，要么便是才华横溢之人，比如柳宗元、白居易、元稹等人，不过担任此职时白居易已然三十二岁，元稹虽稍稍年轻些，也已二十五岁。

开耀元年(公元681年)，杨炯迎来了仕途生涯中最重要的一次机会。爱惜人才的皇太子李显上表朝廷，想要吸纳青年才俊加入崇文馆。在中书侍郎薛元超的举荐下，才华横溢的杨炯顺利入馆，成为崇文馆学士。这是他人生的幸运，也是他人生的不幸!

崇文馆隶属东宫，名义上虽只是个管理图书典籍、教育馆内学生的文化教育机构，但那些经常给太子讲学论道的崇文馆学士实际上就是李显登基后的执政班底。太宗皇帝李世民还是秦王时曾在府内招募十八学士，等到李世民登基后，这些人几乎全都身居要职，杜如晦、房玄龄、于志宁等人甚至位至宰相，君臣携手开创了“贞观之治”的盛世。

杨炯的过人才华很快便得到了李显的赏识，后者任命其为太子詹事府司直（正七品上阶），掌管东宫日常事务。此时，杨炯的前途似乎一片光明，飞黄腾达也指日可待。

杨炯等这一日已然等了许久，喜悦之情溢于言表，对举荐自己的恩人更是没齿难忘，投桃报李地写就一篇《庭菊赋》：“岁如何其岁已秋，丛菊芳兮庭之幽，君子至止，怅容与而淹留。岁如何其岁将逝，丛菊芳兮庭之际，君子至止，聊从容以卒岁。”

可政局的变化却出乎了所有人的意料，一场政治风雨突然来袭，杨炯光明的当下乃至璀璨的未来皆成了过眼烟云。

弘道元年（公元683年）十二月二十七日当晚，一直卧床不起的高宗皇帝李治驾崩于东都洛阳贞观殿，终年五十六岁。太子李显虽顺利登上了皇位，但他野心勃勃的母亲武则天却不甘心大权旁落，时刻觊觎着儿子身下的皇帝宝座。

因为政治上的稚嫩，李显仅仅当了五十五天皇帝便被母亲废为庐陵王。武则天将李显的弟弟李旦推上了皇位，不过明眼人却都看得真切，李旦不过是母亲手中的政治傀儡罢了。

武则天篡位的迹象越来越明显，大唐境内出现了多支讨伐武则天的义军，其中较为出名的便是在扬州起兵的徐敬业。此人是大唐开国功臣李勣的孙子。李勣原名徐世勣，字懋功，是《隋唐演义》中神机妙算的徐茂公的历史原型。徐敬业振臂一呼，响应者络绎不绝，其中有大才子骆宾王，也有杨炯的堂弟杨神让。不过这次仓促起兵很快便被朝廷镇压下去。

身为东宫官的杨炯处境本就岌岌可危，如今他的堂弟又参与叛乱，杨炯此番怕是难逃厄运了。

垂拱元年（公元685年），三十六岁的杨炯无奈地告别已然生活了二十五年的长安，踏上了前往梓州的漫漫旅程，新职务为司法参军。他迎来了人生中的至暗时刻，曾经所有的美好希冀都被残酷的现实无情地击碎。

途经三峡时，心情极度失落的杨炯写下了《广溪峡》《巫峡》《西陵峡》，其中最具代表性的当属《巫峡》：

三峡七百里，唯言巫峡长。

重岩窅不极，叠嶂凌苍苍。

绝壁横天险，莓苔烂锦章。

入夜分明见，无风波浪狂。

忠信吾所蹈，泛舟亦何伤！

可以涉砥柱，可以浮吕梁。

美人今何在？灵芝徒自芳。

山空夜猿啸，征客泪沾裳。

透过这首诗的字里行间，一股不平抑郁之气扑面而来。悠长的巫峡如同是杨炯的漫漫贬谪之路，仿佛永远都看不到尽头。那些眼泪浸湿衣裳的过客，如同默默生长在崖边的灵芝，无人问津，唯有孤芳自赏！

在梓州的这段时光，杨炯变得沉敛而又低调，以至于史书之中鲜有关于他的记载。似他这样的贬谪官员势必会被同僚另眼看待，也会被严密提防。他的心中虽藏有万千苦闷，却只能忍着、捱着，日复一日机械而又单调地完成手头的工作，不再奢望能有什么美好未来。

公元690年九月九日，志得意满的武则天登上则天门楼，大赦天下，改国号为周，改元天授，定都洛阳，称为神都，长安降格为陪都。

得到赦免的杨炯得以回朝，不过回的却并非熟悉的长安，而是有些陌生的洛阳。年年岁岁花相似，但岁岁年年人却不同，尤其是城头飘扬的旗帜已然从“唐”变成了“周”，杨炯不禁生出物是人非之感！

此时喧闹的洛阳城中并没有几人关注杨炯这个小官的去留与悲喜。这些年，他所经历的起伏与坎坷使得他渐渐收敛了锋芒，甚至改变了初衷，居然大肆逢迎武则天。

如意元年（公元692年）七月十五日，洛阳城照例举行盂兰盆节。杨炯借机向武则天献上歌功颂德的《盂兰盆赋》，不吝溢美之词，还说“武尽美矣，周命惟新”。此举虽博得武则天的好感，却也招致世人指责，指责他曾经的风骨如今却荡然无存！

就在这年冬天，四十三岁的杨炯出任衢州盈川县县令。临行之际，前来为杨炯送行的挚友寥寥无几，曾经盛赞他才学出众的挚友王勃早在十六年前便已意外去世，此时与他最为要好的当属比他小十七岁的张说。

张说参加制举贤良方正科考试，策论第一，名动天下，先授太子校书郎，后升任左补阙，已然成为朝中青年官员的佼佼者。张说后来成为玄宗皇帝李隆基的左膀右臂，位极人臣，封燕国公。他曾三度出任宰相，还是文坛领袖，作诗写词无不精通，与另一位宰相苏颋（袭封许国公）并称为“燕许大手笔”。

因惦念远行的老大哥，年仅二十六岁的张说思虑良久，为忘年交杨炯写下了《赠别杨盈川炯箴》：“杳杳深谷，森森乔木。天与之才，或鲜其禄。君服六艺，道德为尊。君居百里，风化之源。才勿骄吝，政勿苛烦。明神是福，而小人无冤。畏其不畏，存其不存。作诰兹酒，成败之根。勒铭其口，祸福之门。虽有韶夏，勿弃击辕。岂无车马？敢赠一言。”

杨炯是否牢记好友张说的劝诫之言呢？他在盈川县政绩又如何呢？《旧唐书》记载：“（杨）炯至官，为政残酷，人吏动不如意，辄搒杀之。”《新唐书》中也有类似记载。可见，正史中的杨炯治吏严酷，轻施刑法，可谓有权就任性的典型。

不过，在当地百姓口中，杨炯却是个勤政爱民的好官，为了纪念他还专门设立了杨公祠堂。两者看似有些矛盾，或许都是杨炯不同的侧面：他对麾下官吏严苛，却又体恤治下百姓。当然他也有急躁冒进的时候，急于将盈川打造成人人安居乐业、户户和谐相处的世外桃源。

盈川虽小，却是可以自由施展才华的地方，杨炯自然极为珍视这个机会。他走遍了全县二十八都、六十八庄，将那里的一草一木、一户一民全都牢牢记在了自己的心上，因此后人习惯称呼他为“杨盈川”。

杨炯为了当地百姓兢兢业业，夙兴夜寐，每每看到他们洋溢着幸福的脸庞，便感觉距离自己的政治理想又近了一步！

可惜上天留给杨炯的时间太短了。次年，四十四岁的杨炯便病死在盈川这座江南小城，这里成为他仕途生涯的最后一站，也是人生的最后一站。

小小的县令成为这位旷世奇才仕途生涯的终止符，着实令人唏嘘感叹。仕途坎坷的杨炯虽未能如愿身居高位，也没有多少机会施展才华，但相较于同为“初唐四杰”的另外三人，他能够得以善终，已然很是幸运了！

一代文豪杨炯虽未曾到过边塞，但心中始终藏着一个征战沙场的梦，为此专门写下那首铿锵有力的《从军行》：

烽火照西京，心中自不平。

牙璋辞凤阙，铁骑绕龙城。

雪暗凋旗画，风多杂鼓声。

宁为百夫长，胜作一书生。

这不仅是杨炯一人的夙愿，也是所有以天下兴亡为己任的有志之士的呐喊。他虽因未能踏上疆场而心生遗憾，但这一声声呐喊，却展现着盛唐的阳刚之气。

一贯心高气傲的杨炯对位居“初唐四杰”之首的王勃并不太感冒，反而对位列自己之后的卢照邻极为敬重，曾说“愧在卢前，耻居王后”，对自己排在卢照邻之前很是惭愧，但对排在王勃之后却感到有些羞耻。卢照邻究竟是何许人，居然使得一向目高于顶的杨炯对他如此顶礼膜拜呢？

才子比惨第一名——卢照邻

卢照邻究竟出生于何时，史学界至今仍存在较大争议，主流说法认为他生于贞观四年（公元 630 年）前后，此时正值贞观盛世，天下大定，大国始成。卢照邻生得恰逢其时，不过他临终之际仍旧悔恨自己错过了一个又一个机会，以致一生困顿！

卢照邻出生于首屈一指的名门望族范阳卢氏，范阳卢氏与陇西李氏、赵郡李氏、博陵崔氏、清河崔氏、荥阳郑氏、太原王氏并称为“五姓七望”。

曾经举荐过杨炯的薛元超后来成为高宗朝宰相，可谓位极人臣，位高权重，不过他依旧觉得自己一生有三恨：“做官之始未能以进士擢第，不娶五姓女，不得修国史。”他为没能娶到五姓女而耿耿于怀，其实他的妻子出身并不低，乃是太宗皇帝李世民的亲弟弟巢王李元吉之女和静县主，可见“五姓七望”多么被世人看重。

卢照邻虽是响当当的大族子弟，一出生头上便顶着耀眼的光环，但他们这一支已家道中落。他的父亲卢仁勖仅仅担任过江都县尉、临颍县丞这样的小官。因此，他这位名门公子虽有着很高的社会地位，却并没有躺平的机会，也没有什么可以依靠的亲眷，若想出人头地，光耀门楣，只能凭借自己的奋斗！

在邻家孩童嬉戏打闹、纵情玩耍时，卢照邻却甘于寂寞，发奋苦读，立志要出人头地。他不仅读万卷书，还行万里路，前去拜访文学大家曹宪、经史大师王义方等知名学者，向他们虚心求教，刻苦钻研，以至于小小年纪便博学能文、才气非凡。

学有所成的卢照邻来到了帝都长安，为了能早日出仕为官、为国效力而游走于达官显贵之间。他凭借才华获得了朝廷重臣来济的赏识。来济于永徽四年（公元653年）加同中书门下三品，跻身宰相行列；两年后又拜中书令，成为正任宰相。

在来济的积极引荐之下，卢照邻这个名字渐渐被长安的权贵们熟识，一时间名动京城。高宗皇帝李治的叔叔邓王李元裕听闻卢照邻的大名之后，以宾客之礼款待他，还特地上奏朝廷延请卢照邻为邓王府典签。

初入仕途便能成为王府官，要么是名门贵胄，要么便是人中翘楚，高宗朝宰相高智周，武则天时期宰相韦承庆和王方庆，武则天、中宗两朝宰相唐休璟，肃宗朝宰相韦见素，代宗朝宰相杜鸿渐均是如此。

邓王府藏书很多，卢照邻常常在工作之余博览群书，获益匪浅。随着彼此间的接触越来越多，邓王对他也愈加器重，曾当着众下属的面说：“此乃本王的司马相如！”西汉文学大家司马相如被后世誉为“赋圣”与“辞宗”，足见李元裕对卢照邻的赏识。

与王勃极为相似，卢照邻初入官场便有幸在亲王身边工作，未来的前途可谓无可限量。在此后大约十年的时间里，踌躇满志的卢照邻跟随李元裕往返于长安与各处任所间，不过他在仕途上却并无多大起色，最终选择黯然离开。

卢照邻调任益州新都县县尉，县尉指导众曹工作，维持治安，催征税款，任务重，压力大，还不稳定。在唐朝，六品及六品以下的中低级官员并非铁饭碗，任职期满后需要参加铨选，等待朝廷重新安排工作。

三年任期届满后，卢照邻并未返回朝廷等待铨选，而是继续留在四川把酒临风，吟诗作赋，这种无拘无束的快活日子大概维持了两年时间。

那时的卢照邻率真而又惬意，不过对于自己的怀才不遇也有着淡淡的忧伤，于是写下了《春晚山庄率题二首·其一》：

顾步三春晚，田园四望通。

游丝横惹树，戏蝶乱依丛。

竹懒偏宜水，花狂不待风。

唯余诗酒意，当了一生中。

前四句诗紧扣“春晚”这一主题，蜘蛛在树梢自由自在地拉丝，飞舞的蝴蝶在草丛间无拘无束地嬉戏，卢照邻将他心中所深深向往的生机勃勃、姿态万千的山村田园美刻画得惟妙惟肖，不过最后却发出了春日易逝的感慨，“当了”二字将心中郁郁不得志的愤懑之情抒发得淋漓尽致。

在四川工作游玩期间，卢照邻有幸邂逅了此生的最爱郭氏，这首《十五夜观灯》中也洋溢着少有的甜蜜气息。

锦里开芳宴，兰缸艳早年。

缛彩遥分地，繁光远缀天。

接汉疑星落，依楼似月悬。

别有千金笑，来映九枝前。

如胶似漆的爱情虽然甜蜜，但坐吃山空的日子终究难以持久，卢照邻下定决心返回洛阳，希望能够谋求一官半职，等到新工作有了着落，再回来接她，此生再也不分离。谁知他这一去竟成为两人的永诀！

或许是卢照邻太过年轻了，轻轻许下了携手一生的诺言；或许是生活太过残酷了，硬生生摧毁了他对未来美好生活的期冀，他无心更无力与爱人再相见。

卢照邻离开后，郭氏时常眺望那条蜿蜒曲折伸向天际的官道，怀着激动的心情等着他，盼着他早日归来，却只有片片流云悠然而至。她的心仿佛早已随北归的大雁去了遥远的洛阳。

她后来发觉自己竟怀上了卢照邻的孩子，不过孩子后来不幸夭折了。她沉浸在巨大的悲痛之中，无尽的思念成为她顽强活下去的唯一希望，但临走时信誓旦旦的卢照邻却是一去不回，杳无音讯。她为此恨过，恼过，痛哭过，也绝望过，却终究无济于事！

骆宾王得知郭氏的遭遇后满怀愤慨地写下了《艳情代郭氏答卢照邻》：

……

此时离别那堪道，此日空床对芳沼。

芳沼徒游比目鱼，幽径还生拔心草。

……

莫言贫贱无人重，莫言富贵应须种。

绿珠犹得石崇怜，飞燕曾经汉皇宠。

良人何处醉纵横，直如循默守空名。

……

骆宾王认为卢照邻迟迟不归是因洛阳人文鼎盛，春色迷人，玉人娇美，指责卢照邻始乱终弃，嫌贫爱富，郭氏却并不因出身贫贱而自怨自弃，始终对爱情忠贞不渝，可到头来却是遍体鳞伤。檐间燕并头而栖，独守空房的郭氏却始终孤寂一人，当窗抱膝，怅望明月，由暮到晓，彻夜不眠。

由于骆宾王的这首诗充满了讨伐意味，卢照邻就此沦为人人唾弃的"渣男"，朝秦暮楚，薄情寡义。他为何会背弃当初的誓言迟迟不归呢？他离开蜀地重返洛阳后又究竟遭遇了什么呢？

寓居洛阳期间，卢照邻因怀念帝都长安写下了一首气势恢宏的七言古诗《长安古意》：

长安大道连狭斜，青牛白马七香车。

玉辇纵横过主第，金鞭络绎向侯家。

龙衔宝盖承朝日，凤吐流苏带晚霞。

百尺游丝争绕树，一群娇鸟共啼花。

游蜂戏蝶千门侧，碧树银台万种色。

复道交窗作合欢，双阙连甍垂凤翼。

梁家画阁天中起，汉帝金茎云外直。

楼前相望不相知，陌上相逢讵相识？

借问吹箫向紫烟，曾经学舞度芳年。

得成比目何辞死，愿作鸳鸯不羡仙。

比目鸳鸯真可羡，双去双来君不见？

……

这首《长安古意》堪称文字版《清明上河图》，卢照邻托古意而写今情，每每读起这首诗，长安的社会生活画卷便犹如在眼前徐徐铺展开来。他不仅写了长安的繁华喧嚣，还写了权贵的骄奢淫逸，还有自己的怀才不遇，更揭示了世事无常、荣华难久的哲理。

《长安古意》中有一句“愿作鸳鸯不羡仙”至今仍在广为传诵，此时的卢照邻还对美好生活充满了向往，不过这首诗却为他招致一场牢狱之灾。

“梁家画阁天中起，汉帝金茎云外直”这一句原本写的是汉朝旧事，皇亲贵族们雕梁画栋的楼阁高耸入云，建章宫铜柱遥指向天际。武则天的侄儿武三思读了这句诗后却觉得很是刺耳，认为卢照邻是在影射自己，于是要让他为自己的行为付出惨痛的代价！

在武三思的构陷之下，卢照邻被无端地投入狱中。他的家人得知后自然是心急如焚，却屡屡营救无果。后来在友人的奔走呼吁之下，卢照邻才得以幸免于难。

出狱后的卢照邻再也没有了往日的风采，或许是饱受惊吓，或许是惨遭虐待，他很快便患上了风疾，也就是如今的脑梗死或脑出血，不过症状却并不太重。此时的他还不会想到，日益加重的病痛居然会折磨得他生不如死，以至于黯然赴死！

上元元年年末或次年年初，卢照邻拖着病体来到长安附近的太白山中，问道修行，求医寻药，不问世事，希望能够借此来摆脱疾病的折磨。

苦苦寻求解脱的卢照邻与“药王”孙思邈不期而遇，于是便将治愈的希望寄托在妙手回春的孙思邈身上。他与孙思邈比邻而居，不过这种彼此相伴的日子却并未维持太久。高宗皇帝李治前往九成宫避暑，但他又素来体弱多病，于是诏令孙思邈前去伴驾，孙思邈只得与卢照邻无奈地分别！

虽然孙思邈走了，但卢照邻的希望却并未就此破灭。他从一位道友处寻得玄明膏，服用后病情有所缓解，但父亲的突然去世却又使得他陷入巨大的悲痛之中，以至于连服用的丹药都呕吐出来，刚刚有所缓解的病情急剧恶化。

在卢照邻的后半生，他要么在不遗余力地求医，要么在无可奈何地等死！

卢照邻客居在龙门山中养病，后来又在具茨山下买下几十亩田地，引颍水环绕自己的住宅，过着布衣素食的生活。由于丧失了经济来源，又无多少积蓄，他只得靠朋友接济勉强度日。

贫病交加的卢照邻写下《与洛阳名流朝士乞药直书》，向洛阳的权贵商贾们乞求药材，居然穷困潦倒到与乞丐无异的地步。

独居养病的卢照邻写下了《病梨树赋》：“……余独卧病兹邑，阒寂无人，伏枕十旬，闭门三月。庭无众木，惟有病梨一树，围才数握，高仅盈丈。花实憔悴，似不任乎岁寒；枝叶零丁，才有意乎朝暮……”

卢照邻卧床不起十旬（即百日），闭门不出三月，唯有院中那株病梨相伴。花憔悴了，叶凋零了，朝暮之间，眼前便是一派萧瑟的景象，疾病缠身的卢照邻是多么孤苦、寂寞和悲痛！

那一日，卢照邻仰望窗外，感慨不已，这位横空出世、光彩夺目的天才，如今却是黯淡无光，仿佛是一只离群之雁，绝望地翱翔于苍茫的天际。

三秋北地雪皑皑，万里南翔渡海来。

欲随石燕沉湘水，试逐铜乌绕帝台。

……

久病不愈的卢照邻羡慕那些在三秋北地历经风霜后归来的大雁，虽不远万里，却依旧坚定地奔向梦中彼岸。可他这只百病缠身的离群之雁，不仅丧失了翱翔的能力，更失去了活下去的希望。他愈加真切地感到自己的生命就如同手中的细沙，正从指缝间一点一点地流走！

万念俱灰的卢照邻写下了《悲才难》《悲穷道》《悲昔游》《悲今日》《悲人生》，合称《五悲文》。

卢照邻曾在《悲穷道》中这样描述自己的病情：“……骸骨半死，血气中绝，四支萎堕，五官欹缺。皮襞积而千皱，衣联褰而百结。毛落须秃，无叔子之明眉；唇亡齿寒，有张仪之羞舌。仰而视睛，翳其若瞢；俯而动身，羸而欲折。神若存而若亡，心不生而不灭……”这段文字不忍细读，每一个字都诉说着他的痛楚与绝望：五官变形，四肢萎缩，毛发掉光，虽然还活着，却如同死去！

此时生不如死的卢照邻心中还有所挂牵，在《悲昔游》中写道："……忽忆扬州扬子津，遥思蜀道蜀桥人。鸳鸯渚兮罗绮月，茱萸湾兮杨柳春……”恍惚间，他似乎又回到了蜀地，又想起了娇媚的郭氏，两人的缠绵悱恻好似在昨日，那情那景仿佛就在眼前，不过他最终还是辜负了她，这也成为他一生的遗憾！

卢照邻虽心存愧疚，却也是无可奈何，此时此刻他已然沦为连生活都难以自理的废人，又岂会有能力兑现当初对她的承诺呢？

卢照邻绝望于半身不遂，行走不便，“一伸一屈兮比艰难乎尺蠖”；绝望于爱不能爱，孤独无助，“庭有霜兮月华白，室无人兮灯影青”；绝望于饱受折磨，挣脱无望，“一翻一覆兮如掌，一生一死兮若轮”，绝望于他一人遍尝人世间的所有苦难，绝望于面对苦难时自己是那样无助与无力！

卢照邻的生卒年在史书中并无明确记载，不同学者依据不同史料考证出来的结论大相径庭，但普遍认为卢照邻死的时候为五十多岁。

此时的卢照邻虽仍属壮年，却已是满身暮气。他的前半生因生不逢时而郁郁不得志，高宗皇帝看重官员执政才能时，他只是个喜欢高谈阔论的儒生；武则天赏识手段狠辣的酷吏时，他却因炼丹而沉迷于道家学说；高宗皇帝封禅泰山后广征才学之士时，他却已然卧床不起，奄奄一息。他的后半生在病痛困扰下艰难度日，腿脚萎缩，行走不便，彻底沦为废人。

卢照邻下定决心要与这个残酷的世界作别，用最后一丝力气写就绝笔之作《释疾文·粤若》。他在文章末尾绝望地写道：

东郊绝此麒麟笔，西山秘此凤凰柯。

死去死去今如此，生兮生兮奈汝何。

写完后，已经了无牵挂的卢照邻朝着院外不远处的颍水艰难地走去。这段原本并不算长的路程，他却走了许久许久。

这是一段艰难的心路历程。四十多年的时光在他的脑海中迅速掠过：他年少成名，风光无限，后来却命途多舛，历经坎坷，仕途蹉跎，沉沦半生，后又遭牢狱之灾，以至于家破人亡，重病缠身，抱残归隐，难堪病痛。

他不解自己为何会沦落到如今这般田地：面若死人，形同枯槁，行如僵尸，心中满是委屈，尽是愤懑。可对于他震天动地的呼号，天却不应，地亦无语！

卢照邻步履蹒跚地来到颍水边，毫不犹豫地跳了下去，毅然决然地结束了自己短暂而又坎坷的一生。

就在卢照邻纵身一跃的那一刹那，世人是何等的惋惜，可他心中却是何等的畅快：终于可以永远告别这个残酷的世界，去往一个永无痛苦、永无磨难的新的未知世界！

排名最末，名气最大——骆宾王

鹅鹅鹅，

曲项向天歌。

白毛浮绿水，

红掌拨清波。

这首《咏鹅》据传为骆宾王七岁时所作，鹅毛是白的，江水是绿的，白绿对照，鲜明耀眼；鹅掌是红的，水波是青的，红青映衬，艳丽无比。“浮”与“拨”动静相生，相得益彰。这首清新的小诗使得骆宾王妇孺皆知，甚至成为大多数国人认识的第一位诗人。可就是这位天才少年，却有着异常坎坷曲折的人生。

骆宾王于武德二年（公元619年）出生在江南之地婺州。父亲骆履元是位饱学之士，为儿子取名时，他读到了《周易·观卦》中的“观国之光，利用宾于王”一句，于是“宾王”就此成为他儿子的名，“观光”成为他儿子的字。骆履元希望宝贝儿子有朝一日能有一番大作为，辅佐明君，为民谋福，光耀千古。

骆履元一生当的最大的官便是青州博昌县县令，骆宾王十岁左右跟随父亲来到博昌县居住。他自幼便受到父亲熏陶，饱读诗书，敏而好学，很快成为远近闻名的神童。

骆宾王十七岁的时候，他的父亲在博昌县县令任上不幸病逝。他家日子本就过得不算宽裕，父亲的死更是使得他们的生活变得愈加拮据。骆宾王无力将父亲的灵柩运回家乡安葬，只得将父亲在博昌当地草草下葬。

失去父亲庇护的骆宾王先后寓居在博山县、瑕丘县等地，在贫困落魄中艰难度日。虽然这段日子过得未免有些凄苦，他却依旧对未来充满了美好的期待。

贞观十四年（公元640年），二十二岁的骆宾王进京赶考，却铩羽而归，残酷的现实给了心高气傲的骆宾王当头一棒。

五年后，骆宾王终于在长安谋得一份差事，不过他担任的究竟是官还是吏，他是如何获得这份工作的，又具体从事什么岗位，都因史书中缺少记载不得而知。

骆宾王在《咏怀古意上裴侍郎》中说：“三十二余罢，鬓是潘安仁。”这次任职经历在他三十二岁时戛然而止，不过他的仕途很快就迎来了转机。

三十三岁的骆宾王有幸成为道王李元庆的僚属。李元庆是大唐开国皇帝高祖李渊第十六子，此时正担任豫州刺史。经过三年的相处，李元庆对骆宾王的才学能力极为认可。

历史是何其惊人的相似！骆宾王获得道王李元庆的器重，一如王勃获得沛王李贤的赏识、杨炯获得太子李显的倚重、卢照邻获得邓王李元裕的信任。他们本可以借势扶摇直上，却都未能如愿，真可谓造化弄人，性格使然！

由于当时交通和通信比较落后，人才若有贵人举荐，无疑可以迅速获得朝廷的关注与垂青。道王李元庆决意向朝廷举荐骆宾王，可心高气傲的骆宾王却写了一篇《自叙状》表明心迹。他担心会背上“冒进”“贪禄”的坏名声而耻于自炫，硬生生拒绝了李元庆的好意。

此时意气风发的骆宾王颇有些视功名为粪土的意味，但他就此失去了此生最好的一次机会，以至于一辈子都只能在基层苦苦打拼。

道王李元庆心中暗暗觉得骆宾王有些不识抬举，此事犹如扎进他心中的一根软刺，两人的关系也就此悄然发生着变化。

又过了三年，骆宾王黯然离开了道王李元庆。走的时候他虽仍旧高昂着头，但残酷的生活很快便迫使他不得不低下了高傲的头！

三十八岁的骆宾王为了追求放达不羁的生活而失业了，在此后的十一年时间里，他一直闲居在齐鲁大地。起初他还能凭借之前的积蓄勉强度日，可时间长了却不得不开始为柴米油盐之事而发愁。骆宾王不得不放下所谓的自尊，打破所谓的原则，不断地给自己认识的官员们写信，恳请人家向朝廷举荐自己，颇有些“早知今日何必当初”的意味。

乾封二年（公元 667 年），四十九岁的骆宾王再度入朝为官，担任奉礼郎，后任东台详正学士。即将进入知天命之年的骆宾王，因生活所迫不得不重新开始在官场上苦苦打拼。

三年后，五十二岁的骆宾王因工作变动不得不离开长安。此时的骆宾王虽开始向生活低头，但他高傲的性子却难以彻底改变，自然很难进入同僚的圈子。

当时吐蕃攻陷龟兹拨换城，唐朝在西域所设的安西四镇一时间岌岌可危。朝廷命右威卫大将军薛仁贵为逻娑道行军大总管，带兵前去征讨吐蕃。薛仁贵虽是一代名将，却并非常胜将军，此番与强悍的吐蕃人交手便以失败告终。薛仁贵被朝廷除名，沦为一介布衣。骆宾王此番虽辛苦随军出征，但不仅未能立下尺寸之功，反而因战败处境堪忧。

仕途困顿的骆宾王转而成为姚州道大总管梁积寿的幕僚，从大西北转战大西南，参与平定姚州等道的少数民族叛乱。此次讨伐过程中的文书大多出自骆宾王之手。

正是这段从军经历，让骆宾王对大唐边塞有了更为直观的感受和更为深刻的感悟。于是他写下很多慷慨激昂的诗篇，开了边塞诗的先河，《边城落日》便是其中颇具代表性的一首。

紫塞流沙北，黄图灞水东。

一朝辞俎豆，万里逐沙蓬。

候月恒持满，寻源屡凿空。

野昏边气合，烽迥戍烟通。

膂力风尘倦，疆场岁月穷。

河流控积石，山路远崆峒。

壮志凌苍兕，精诚贯白虹。

君恩如可报，龙剑有雌雄。

咸亨四年（公元673年），五十五岁的骆宾王重返阔别三年之久的长安，不过他这次回来却只是汇报前线战事和大捷情况，很快又重返四川前线。直到一年后，他才正式调任武功县主簿，彻底结束了颠沛流离的从军生活。

主簿专司纠察官员违法之事，还有勾检文书之责。其实这两个活儿都是在挑毛病，一个是挑人的毛病，看看有没有失职渎职或者贪污受贿的；另一个就是挑文书的毛病，看看文件里有没有错别字或者表述不恰当的地方，账簿里有没有记载不清晰或者记错账的地方。在敦煌和吐鲁番发现的唐朝文书中经常出现用红笔写的字，还有用红笔画的勾，这些都应该是主簿所留。

吏部侍郎裴行俭出任洮州道左二军总管，曾盛情邀请熟悉洮州情形的骆宾王担任自己的幕僚。不过骆宾王的生活才刚刚安定下来，不愿再过那种风餐露宿的日子，于是婉言谢绝了裴行俭的邀请。

之后，骆宾王调任明堂县主簿。从长安远郊来到长安城中工作的他，怀着喜悦的心情写就脍炙人口的长诗《帝京篇》：

山河千里国，城阙九重门。

不睹皇居壮，安知天子尊。

……

这首诗描绘了帝京长安的繁华，展现了大唐蓬勃向上、强盛无比的时代风貌，却也提出了“未厌金陵气，先开石椁文”的警示，其中还夹杂着怀才不遇的悲愤。

这一年骆宾王曾奉命出使江南，年底返回长安后因旅途劳顿而生了一场重病，紧接着他的母亲又去世了，他只得离职丁忧。

骆宾王丁忧期满重返官场时已然六十一岁高龄了，好在朝廷给他重新安排工作时给予了适当关照——他先任长安县主簿，很快又被提拔为侍御史。

除了御史大夫（并不常设）、御史中丞外，侍御史在御史台中地位最高。御史台的官员品级虽然普遍都不高，却负责监察百官，因地位特殊而被列为常参官，也就是可以与高官们一样时常朝拜天子，升迁速度自然比其他官员快上许多。骆宾王黯淡无光的仕途陡然间豁然开朗。

“祸兮福所倚，福兮祸所伏”，政治风云的变幻往往会出乎所有人的预料。仅仅几个月后，身为侍御史的骆宾王居然锒铛入狱，直到一年后才得以获释。

关于这次入狱的原因，有的史书记载骆宾王贪污受贿，有的史书却记载骆宾王快人快语得罪了人而遭到构陷。

永隆二年（公元681年），六十三岁的骆宾王怀着极其失落的心情离开了长安，步履蹒跚地前往临海县，他的新职务为县丞。

县丞并没有明确的职责范围，没有事是他该管的，也没有事是他不该管的：大事管多了，怕县令不高兴；小事管多了，又怕下属不乐意。县丞绝大部分时间只是在签转文书，在该签名的地方签个名，至于其他的事，县令让干啥就干啥，没让干索性就喝喝茶、聊聊天，在县里显得可有可无、无足轻重。

县丞这个位子可谓是安于现状者的首选，但混日子总有混到头的时候。安史之乱后，州县凋敝，民不聊生，朝廷开始裁减官员数量，压缩财政开支。代宗皇帝李豫、德宗皇帝李适曾两度在全国范围内大规模裁撤县丞，以至于很多县不再设县丞。

骆宾王此生担任的官职几乎都是县一级，可谓名高而位卑、才大而官小。他厌恶官场，却又一直不甘心放弃，不过此番入狱却使得他心中最后一丝希望破灭了！

文明元年（公元684年），骆宾王因事回京，这也是他最后一次回长安。

就在这一年，武则天废掉中宗皇帝李显，将另外一个儿子李旦扶上了皇位。为了笼络世人，武则天下诏命所有五品以上职事官向朝廷举荐一人。左骁卫大将军程务挺一向器重赏识骆宾王，听闻骆宾王回京后赶忙派人将举荐之事告诉了骆宾王，谁知却被他婉言谢绝。

骆宾王上一次拒绝道王李元庆是因心高气傲，这一次拒绝程务挺是因心灰意冷。此时的骆宾王已然无意于仕途进取，他无法容忍一介女流武则天把持朝廷权柄，将皇帝视为手中玩物。他虽自知渺小如蝼蚁，却又不愿妥协退让，想要奋力一搏。

这年九月，骆宾王在扬州与徐敬业意外邂逅，正是这次邂逅彻底改变了他的人生！

徐敬业承袭了父亲李勣（原名徐世勣）的英国公爵位，原本在朝中担任太仆少卿，主要负责管理马匹有关事宜，不过后来他却被贬为眉州刺史。

在唐朝，判断是升官还是贬官并不能简单地看品级，更要看内在含金量。从京官贬为地方官，即便品级有所提升，依旧会被视为贬官，因为一旦离开或许终生都难以再回朝；同样是京官，从台省官贬为卿监官，也是如此。在中书省、门下省、尚书省和御史台任职的官员被称为“台省官”，地位高，升迁快；在九寺五监和其他部门任职的官员被称为“卿监官”，地位低，升迁慢。

后来，徐敬业又被贬为柳州司马，从上州一把手沦为下州三把手，心中自然充斥着对武则天的愤懑与仇恨。

经过一番商议，两人决意以匡复庐陵王李显的帝位为名起兵反抗武则天。徐敬业自称匡复府上将、扬州大都督，骆宾王被徐敬业任命为记室、艺文令，掌管机要事务，起草了名噪一时的《为徐敬业讨武曌檄》：“……班声动而北风起，剑气冲而南斗平，喑呜则山岳崩颓，叱咤则风云变色。

以此制敌，何敌不摧，以此图功，何功不克……”

这篇慷慨激昂的檄文写得振聋发聩，气吞山河。读至“一抔之土未干，六尺之孤何托”（意思是高宗皇帝李治尸骨未寒，武则天便迫不及待地罢黜其子中宗皇帝李显，让李显在何处安身），武则天惊问这篇檄文究竟是何人所写，身边人赶忙回禀说是骆宾王，武则天黯然神伤道：“骆宾王有如此才华却沦落到如今这般田地，真乃宰相之过也！”

徐敬业在短短数日内便聚集起数万之众，不过其中能征惯战之人却寥寥无几，多是乌合之众。武则天闻讯后紧急调兵三十万前往扬州平叛，打得徐敬业等人屡战屡败。当年十一月，这场轰轰烈烈的反抗活动便以失败告终，骆宾王的下落就此成为千古之谜。

《旧唐书》与《资治通鉴》均记载骆宾王与徐敬业一同被杀，不过唐朝张鷟所著《朝野佥载》却记载骆宾王为投江而死。骆宾王之前所作《帝京篇》中有“倏忽抟风生羽翼，须臾失浪委泥沙”的诗句，此诗竟一语成谶——兵败后，走投无路的骆宾王投江溺亡。

不过《新唐书》却记载骆宾王兵败之际仓皇逃亡，不知所终。唐朝孟棨的《本事诗·征异》对此更是有着生动详细的记载。

大诗人宋之问曾任考功员外郎。当时朝中朋党林立，争斗不断，他为了能在朝中立足，竭力逢迎中宗皇帝最宠爱的女儿安乐公主，却因此遭到了太平公主的忌恨。于是，太平公主在哥哥李显面前大肆诋毁此人。景龙三年（公元709年），宋之问被贬为越州长史。

那日，心情郁闷的宋之问夜游杭州灵隐寺。在皎洁的月光之下，他穿行在悠长昏暗的长廊上，突然诗兴大发，吟诵道：“鹫岭郁岩峣，龙宫锁寂寥。”他对自己能吟出如此好诗而自鸣得意，可很快又犯了难，不知如何往下接，以至于吟诵这两句诗后许久，都不曾说出下一句。

走廊旁的殿内点着长明灯，一位老僧坐在禅床之上，微闭着眼睛问道：“这位施主，夜已深，你为何不早些安歇，反而一直在寺内吟诗呢？”

宋之问赶忙回答：“弟子想要为贵寺题一首诗，却因才疏学浅而迟迟未能成诗！”

老僧轻声道：“可否为老僧吟诵上句？”

宋之问试探性地说出上句，老僧听后沉吟片刻道：“‘楼观沧海日，门对浙江潮’，不知如何？”

惊愕的宋之问未曾料到这位老僧居然会是诗中高手，顿时便钦佩得五体投地。

望着满脸惊诧的宋之问，老僧继续吟诵：“桂子月中落，天香云外飘。扪萝登塔远，刳木取泉遥。霜薄花更发，冰轻叶未凋。夙龄尚遐异，搜对涤烦嚣。待入天台路，看余度石桥。”

次日清晨，宋之问再度前来拜访老僧，老僧却已悄然离去。不过寺院之中尚有熟悉这位老僧底细之人，说这位老僧便是隐遁多年的大文豪骆宾王！

宋之问迫不及待地询问，骆宾王怎样逃过当年那一劫，又为何会流落至灵隐寺。经过一番追问，他才意外获知骆宾王鲜为人知的逃亡经历。

当初兵败之际，徐敬业与骆宾王在部属掩护下趁乱逃走，官兵四处搜捕却迟迟未能捕获两人，将帅们为此而惴惴不安、坐卧不宁。如今叛乱首要分子已然逃脱，若是武则天在盛怒之下追究他们的责任，他们不仅无功反而还会有罪，万般无奈之下才想出了移花接木的法子。

由于此役死者多达数万人，将帅们便授意手下人找到两具与徐敬业、骆宾王相貌相似的死尸，割下他们的首级送往朝廷报捷。为防事情败露，他们明明知晓两人并没有死，却也不敢再继续搜捕，反而设法为已然逃遁的两人进行遮掩。徐敬业来到衡山出家为僧，一直活到了九十多岁；骆宾王也落发为僧，遍游名山大川，过着潇洒快活的日子。

《鄮县志》也留有关于骆宾王的记载，说骆宾王曾在婆婆仙道观避难，还在道观石壁上留下一首《漫成一首》:

阿溪世业空，小家各西东。

玉盘圆八月，雁落荒野中。

从容效范蠡，路漫思屈公。

孤蓬从此去，叶飘随秋风。

《潜阳唐夏骆氏宗谱》却记载骆宾王“由灵隐至淤潜（即於潜）”，如今浙江杭州临安区於潜镇仍流传着骆宾王隐居在当地妙乐寺的传说。还有传言称，骆宾王死后，他的灵柩从於潜被秘密运回家乡，也就是如今的义乌，算是魂归故里。

除此之外还有一种说法，即骆宾王流落到了吐蕃。《旧唐书》记载，贞元十七年（公元 801 年），此时距离徐敬业起兵已然过去了一百一十余年之久，僧人延素等人被吐蕃人俘获，却被一位自称是徐舍人的人释放。徐舍人自称是汉人，还说自己是“司空英国公五代孙”。有的学者据此认定徐舍人便是徐敬业的后代，还推测当年骆宾王与徐敬业一起流亡吐蕃。不过这种说法只是一种大胆的猜测，可信度并不高！

| 延伸阅读 | 一考不能定终身

唐朝科举制度堪称历史上最复杂的制度，分为贡举与制举，此外还有由兵部主持的专门用来选拔武官的武举。

贡举每年都会定期举行，科目最多时达五十余科，包括明经、进士、秀才、明字、明法、明算等科，尤以进士科最为世人所看重。每年秋天，考生们会从全国各地来到长安，通过资格审核后便开始备战转年春天的考试，称为“春闱”，一般会安排在正月。不过此时考生们没有多少心思温习功课，而是赶去纳卷行卷。

纳卷要求考生们在开考前向考官呈送自己的文学作品，以便考官对自己有全面客观的了解。万一考生因紧张或其他原因成绩不理想，考官也会结合纳卷成绩确定录取名单，避免了“一考定终身”。比如李商隐连续多年未能高中，一气之下不再行卷纳卷。等到他进士及第后才得知，这些年来好友令狐绹一直在替自己向礼部贡院纳卷。

随着考生数量越来越多，考官们没有时间去了解考生，纳卷也流于形式，而行卷之风却愈演愈烈。行卷是考生为了获取达官贵人的推荐，将得意之作写于卷轴之上进献给他们。行卷时，考生要亲自登门拜访，但若是没有特殊背景或很大名气，往往难以如愿。不过也有特例，白居易一向清高，给事中陈京行卷时并未亲往，仅派遣家童进献，但仍然金榜题名。

贡举及第者只能获得当官的资格，若想当上官，还需参加吏部主持的铨选或科目选。为了快速获得官职或出任要职，贡举及第者可以参加制举考试。制举是将“举士”与“选官”相结合的特科，只有在皇帝下诏后才会举行，考试时间并不固定，除了六月外，其他十一个月都曾举行过。科目设置也很随性，居然有八九十个科目，比如需要选拔辞藻华丽之人便设文词雅丽科，需要选拔军事人才便设堪任将帅科。

第二章 我辈岂是蓬蒿人

——不羁才子的悲惨命运

“初唐四杰”相继凋零后，大唐诗坛并未因此变得沉寂，而是先后涌现出“诗魂”陈子昂、“诗仙”李白与“诗圣”杜甫三位伟大诗者。虽然陈子昂在后世的知名度远远不及李白与杜甫，却是唐朝大诗人心中当之无愧的超级偶像。

一向狂放不羁的李白唯独在看到陈子昂的诗集后才会自惭形秽，曾毕恭毕敬地将前辈陈子昂尊称为“凤与麟”。杜甫曾怀着虔诚的心情专程前往陈子昂的家乡梓州射洪祭拜凭吊，盛赞道：“有才继骚雅，哲匠不比肩。公生扬马后，名与日月悬。”白居易更是时常将陈子昂与李白、杜甫并称，曾说“每叹陈夫子，常嗟李谪仙”，还说“杜甫陈子昂，才名括天地”。“唐宋八大家”之首韩愈也赞道：“国朝盛文章，子昂始高蹈。勃兴得李杜，万类困陵暴。”韩愈认为，若是没有陈子昂这位诗坛先行者，便没有后来的李白与杜甫。既然如此，陈子昂又有着怎样鲜为人知的人生呢？

以炒作成名，却孤寂一生——陈子昂

前不见古人，

后不见来者。

念天地之悠悠，

独怆然而涕下。

那是一个天色苍茫的秋日，陈子昂独自登上幽州台，当年燕昭王曾在这里招贤纳士。他孑然兀立，登楼远眺，衣袂被风轻轻吹起，发出一声长叹，声音随着秋风飘向未知的远方。

陈子昂仿佛看到了古代圣贤登坛拜将的场景，但联想到自己随军出征遭遇惨败的不幸，不禁潸然泪下，沉吟许久写下了这首《登幽州台歌》，透着理想破灭后的悲凉，还有深深的孤寂与无边的绝望！

那些彪炳史册的大唐才子要么出身卑微，要么家道中落，可陈子昂却与他们不同，出生在梓州射洪一个富裕家庭的他，是妥妥的“富二代”。正因出身优渥，少年时的陈子昂虽生得面貌丑陋、身材矮小，心中却藏着一个游侠梦，幻想着有朝一日能够仗剑走天涯，在江湖中闯出一片天地来！

年少轻狂的陈子昂终日里打打杀杀，到处惹是生非、胡作非为，直到十七八岁都不知读书为何物，不知让父母担了多少心，生了多少气。

陈子昂家虽然很有钱，却并非拜金的土豪，也称得上是书香门第。他的叔祖父陈嗣终其一生都未曾入仕，在陈子昂的心中，是如同东汉庞德公那样“避人养德，退耕求志”的大隐士。父亲陈元敬早年明经及第，后授文林郎，不过很快便离开官场，因崇尚神仙之道而隐居乡间。他慷慨仗义，学识渊博，被人称为“西南大豪”。

眼见不学无术的宝贝儿子在叛逆的不归路上越走越远，陈元敬却束手无策，无可奈何。此时的他做梦都不曾料到，自己的儿子日后居然会成为光耀千古的文坛巨匠。

一贯我行我素的陈子昂竟会因一场意外像变了一个人似的，心甘情愿地放下刀剑，拿起书本。这是怎么回事呢？原来是陈子昂不慎用剑伤了人，险些因此锒铛入狱，好在他父亲拿出大笔银钱上下疏通，才将此事平息下来。这件事带给他深深的触动，他渐渐收敛起顽劣的性子，觉得自己再也不能这样活，再也不能这样过。

陈子昂自此之后慨然立志，弃武从文，谢绝旧友，发愤苦读，博览群书，深钻经史。他读书虽晚，却天分极高，仅仅几年工夫便因博采众家之长而学有所获，学有所成。

陈子昂与李白同样怀有兼济天下的梦，不过生性放达的李白多是不切实际的空想，而陈子昂并非如此，他在政治上颇有见地，却也饱受争议。欣赏他的人认为他“道可以济天下，而命不通于天下；才可以致尧舜，而运不合于尧舜”，厌恶他的人认为“子昂之忠义，忠义于武氏者也，其为唐之小人无疑也”。他究竟做了什么，使得人们对他的评价居然会如此两极分化？

调露元年（公元679年），陈子昂离开了自己的家乡，有人预言他日后必会成为“海内文宗”。陈子昂带着对未来的美好期许，意气风发地前往大唐最高学府国子监进修，在那里读了很多不曾读过的书，也遇到了许多名师。

陈子昂自觉收获颇多，学业大成，便参加了次年的科举考试，谁知却是名落孙山——残酷的现实狠狠地给了他当头一棒。

落第后的陈子昂灰头土脸地返回了家乡，虽然他曾说要“还因北山径，归守东陂田”，但此时家乡已然安放不下他那颗勃勃雄心。心有不甘的陈子昂搬到了清幽的金华山中苦读，学问有了极大精进。

永淳元年（公元682年），陈子昂鼓足勇气再度入京应试，谁知依旧是铩羽而归。

两次科考失利虽使得陈子昂有些灰心，但他并未就此气馁，而是认真反思问题所在。由于当时并未实行糊名制度，主考官知道哪份试卷是哪个考生所写，因此在决定录取名单时并不仅仅看考试成绩，还会看考生的背景与名气。陈子昂自认为才学出众，如今缺的只是名气，于是便自导自演了一出炒作闹剧。

那日，陈子昂在市场上闲逛，见很多文人雅士聚集在一起，还不时发出阵阵感叹声。陈子昂挤进去一看，发现他们正目不转睛地盯着一张用名贵檀木制成的古琴。琴虽是好琴，但标价却高达百万。

陈子昂见此情形便计上心来，决意要好好用这张古琴炒作一番。他当众宣布自己买下这张古琴，还邀请在场之人明日到他所住的客栈中听他弹琴。

在场之人一时间错愕不已，未曾料到他年纪轻轻居然出手如此阔绰。当然，他们最为关心的还是那张古琴弹奏出来的音色究竟如何。

此事在长安一传十，十传百。次日，陈子昂所住的客栈外聚集起无数前来看热闹的人。他见此情形内心泛起阵阵窃喜，忽然想到了“竹林七贤”之一的嵇康。当年嵇康在刑场上面对前来送行的三千太学生，从容不迫地弹奏起《广陵散》，如今激情满怀的陈子昂也弹起了琴，抑扬顿挫的琴声如惊涛拍岸般涌入观众的耳中。

就在众人沉浸在美妙的乐曲声中时，陈子昂却猛地举起手中的古琴，将其狠狠地摔在地上，古琴的碎片一时间飞溅而起。

陈子昂花费百万买来的古琴居然在众目睽睽之下被摔得粉碎，围观的群众中惋惜声四起，大家不解他为何要如此，莫不是疯了吗？

就在众人不明所以之际，陈子昂却高声道：“琴乃贱工之役，何以重琴而轻文？”他顺势拿出自己刊印的文集分发给在场之人，他那些原本并不为人所知的作品在长安广为传诵。

当众怒摔价值百万的古琴，这个举动如同当今网红们费尽心机的炒作。凭借这件事，陈子昂刹那间名动京师。他这个原本在长安城中并不起眼的土豪之子借此成功“破圈”，成为很多权贵高官、文豪巨匠的座上客。

他的名气变得越来越大，人脉也越来越广，为他今后的科考之路奠定了坚实的基础。

文明元年（公元 684 年），第三次走进考场的陈子昂终于如愿进士及第，不过他的仕途自此与政治女强人武则天紧密地交织在了一起——这是他的幸运，也是他的不幸！

按照惯例，似陈子昂这样的进士及第者要守选三年才能正式授予官职，不过他却抓住时机获得了武则天的好感，得以提前入仕。

就在陈子昂高中的前一年年底，高宗皇帝李治驾崩于洛阳，朝堂上的大臣们为送不送皇帝灵柩回长安而争论不休。

陈子昂这个新科进士将自己写的《谏灵驾入京书》呈送给武则天。他借古鉴今，化理入文，旁征博引，认为运送高宗皇帝的灵柩回长安路途遥远，劳民伤财，不如就近葬于洛阳，同时也满怀激情地表达了自己渴望建功立业的强烈心声。

陈子昂的劝谏并未起到应有的效果，高宗皇帝的灵柩依旧被运回长安，安葬在城外的乾陵之中。随后，他又呈上《谏政理书》，建议“调元气，睦人伦，跻俗仁寿，兴风礼让”，提出建明堂、立太学、得贤臣、兴礼乐等举措，武则天就此记住了陈子昂这个名字。

垂拱元年（公元 685 年）十一月十六日，武则天亲自召见年纪尚轻的陈子昂。在谈及王霸大业、君臣关系时，陈子昂慷慨应答。武则天觉得他是个可造之材，陈子昂也收获了前所未有的满足。他一辈子都忘不了这一天，以至于时隔多年以后，仍旧满怀激动地写道：

方谒明天子，清宴奉良筹。

再取连城璧，三陟平津侯。

不然拂衣去，归从海上鸥。

宁随当代子，倾侧且沉浮。

毫无政治背景的陈子昂不仅提前获得了官职，还幸运地留在了朝中，任麟台正字（即秘书省正字），后升任右拾遗。虽然这两个官品级都不算高，却都属于世人极为看重的清要之职，升迁快，待遇好，很多位至宰相之人都曾担任过这两个职务。可以说，陈子昂这个回头的浪子在入仕之初便拥有了梦幻开局。

武则天的父亲武士彟是追随高祖皇帝李渊打天下的开国元勋，曾任工部尚书、利州都督、荆州都督等显赫要职，还被封为应国公。不过在当时，无论是政治地位高低，还是家族财富多寡，均不能与社会地位画等号。那些世族大家即便官当得很小，钱挣得很少，依旧会受到世人的崇拜与敬仰，他们会争相与自己交结通婚。武家在那些世族大家的眼里只不过是政治暴发户而已，因此武则天入宫之初仅是个正五品的才人。

陈子昂家产颇丰，出手阔绰，却又非什么高门大户，似他这样的人即便能侥幸步入官场，通常也是举步维艰，很难有大的发展。如今武则天大权在握，刻意打压那些目中无人的名门望族，不遗余力地提拔重用寒门子弟，这让陈子昂这样毫无背景的新生代官员看到了无限的希望。

公元690年，一直在幕后的武则天终于走到台前，正式登基称帝，改国号为周。在此之前，朝野上下掀起了一股劝进的洪流，陈子昂也加入其中，还特地呈上了《上大周受命颂表》。

陈子昂此举被后人认定为对武氏谄媚，对大唐不忠，甚至还惨遭唾骂。其实他在历史大潮中不过是微不足道的草芥，当时即便是狄仁杰这等身居高位之人都要顺应潮流，人们又何苦苛责陈子昂这样的微末小官呢?

不过陈子昂的确对武则天怀有某种特殊的情愫。他初入仕途时，李显、李旦虽先后登基称帝，但真正掌权的却是他们的母亲武则天。陈子昂能有幸留在朝中，能有幸获得上书奏事的机会，全都要仰仗武则天的垂青，于是他自然而然地将实现自己政治理想的愿望全都寄托在了武则天的身上，认为自己有幸遇上了“非常之主”，可以建“非常之功”。他曾满怀期待地写道：

平生白云志，早爱赤松游。

事亲恨未立，从宦此中州。

陈子昂曾暗暗发誓：“以身许国，我则当仁；论道匡君，子思报主。”他是这么说的，也是这么做的。作为谏官，他不顾个人得失甚至个人安危，勇敢地上书言事，指陈朝政得失，却不知武则天有着多面性——上一秒可以让你去天堂，下一秒就可以让你下地狱。

作为我国历史上唯一的女皇帝，登基之初的武则天感受到来自四面八方的威胁，于是在政治上采取高压手段，一时间酷吏当道，告密成风，即便是身为宰相的狄仁杰都险些丧命于狱中，堪称我国政治史上最黑暗的一段时间。可陈子昂却丝毫不畏惧，他积极为民请命，甚至不惜直犯龙颜。

垂拱二年（公元686年），陈子昂曾随左豹韬卫将军刘敬同北征，随军到达西北地区的居延海、张掖河一带。这唤起了他曾经的游侠梦，使得他对遥远的边塞充满了向往。在返京途经凉州时，他欣然写道：

回中烽火入，塞上追兵起。

此时边朔寒，登陇思君子。

东顾望汉京，南山云雾里。

这次北征的队伍里，还有一位陈子昂的挚友，他就是乔知之。他是驸马都尉乔师望之子，也是一位才华横溢的大诗人，两人因诗结缘，情投意合。

乔知之有个名叫窈娘的侍妾，能歌善舞，才貌双全。为了她，乔知之始终不曾结婚。因垂涎窈娘的美色，武则天的侄子武承嗣强迫乔知之与自己对赌，赌注便是窈娘。乔知之自然是输了，武承嗣顺势抢走了窈娘。乔知之始终咽不下这口气，于是托人给窈娘带去自己所写的一首《绿珠篇》：

石家金谷重新声，明珠十斛买娉婷。

此日可怜君自许，此时可喜得人情。

君家闺阁不曾难，常将歌舞借人看。

意气雄豪非分理，骄矜势力横相干。

辞君去君终不忍，徒劳掩袂伤铅粉。

百年离别在高楼，一旦红颜为君尽。

诗名中的绿珠为西晋大富翁石崇的宠妾，不仅长得美艳，还擅长吹笛。孙秀得知后曾想将她占为己有，绿珠得知后当场坠楼而死。

因此，窈娘看到乔知之送来的诗后痛哭不已，绝食三日后投井而亡。投井前，她还特地将那首诗别在自己的裙带上。武承嗣听闻她的死讯之后，赶忙命人将她的尸体从井中打捞出来，发现了乔知之写给她的那首诗，顿时气得暴跳如雷，授意酷吏们大肆罗织罪名将乔知之逮捕入狱。

眼睁睁地看着好友乔知之被无端陷害，陈子昂自然是怒不可遏，于是上表抨击武则天大肆任用酷吏，滥施刑罚，风闻言事使得告密成风，人人自危。他恳请武则天罢免那些嗜血成性的酷吏，废除告密制度，停止对李唐宗室的诛杀，这样才能四海归心，国祚永昌。这些敏感的政治话题，即便是朝廷重臣、皇帝心腹都不敢轻易触及，可他这个八品小官却直言不讳。

在奸佞之臣的误导下，武则天还出台了许多不切实际的政策。比如为了换取不杀生的美名，她曾下诏"禁天下屠杀及捕鱼虾"，可很多老百姓却以此谋生。此举虽然使得很多牲畜与鱼虾活了下来，但江淮地区遭受旱灾的民众却因无法果腹而活活饿死。陈子昂得知此事后上书严厉谴责这项不近人情的政策。

陈子昂的言辞越来越犀利，武则天的脸色也越来越难看，甚至对陈子昂的奏疏“不省”“不听”。至于乔知之，也在公元 690 年于南市惨遭斩首示众。

陈子昂巨大的政治勇气虽然感染了很多人，也激励了很多人，可并没有帮他救下好友乔知之的命，最终也毁了他自己。

公元 694 年，陈子昂因被人构陷而锒铛入狱，在狱中的每一天都仿佛是生命的最后一天。他不知道明天与意外究竟哪个会先来临，或许他也会步好友乔知之的后尘。

经历了一年半的生死考验与残酷折磨之后，陈子昂终于活着走出了监牢，见到了久违的明媚阳光，却不知自己该去往何处。

武则天何曾不知陈子昂的一片良苦用心，却还是接受不了他耿直的性情。不过等到心中怒气渐渐消了，她也不似之前那么恨他了，于是便让他官复原职。

陈子昂怀着复杂的心情给武则天上了《谢免罪表》，言辞中充满了感激之情，不过他心里很清楚，官职可以失而复得，但人生路不能重走。

陈子昂暗暗下定决心离开长安，誓要远离这里的是是非非。不过他也并未就此一蹶不振，颓废消沉，只不过是想换一种奋斗方式而已——他想到遥远的边塞去建功立业。

万岁通天元年（公元 696 年），契丹首领李尽忠、孙万荣叛乱，武则天派遣自己的侄子建安郡王武攸宜统领大军征讨契丹，壮志满怀的陈子昂主动要求随军出征，临行之际壮怀激烈地写道：

平生白云意，疲薾愧为雄。

君王谬殊宠，旌节此从戎。

挼绳当系虏，单马岂邀功。

孤剑将何托，长谣塞上风。

由于此前朝廷数次征讨契丹皆以失败告终，主帅武攸宜此番不敢轻易交战。眼见战局不利，陈子昂主动提出亲率一万士兵担当敢死队，誓要杀出一片天地，扭转当下的局势。可武攸宜却向他投来鄙夷的眼神，并不相信他这个书生真能掌兵，更不相信他这个书生能打胜仗，于是断然拒绝了他，还因此对他心生不悦。

陈子昂并不甘心劳师远征却又无功而返，他不断向武攸宜提出作战建议。结果武攸宜不仅没有采纳，反而恼羞成怒，居然将他贬为兵曹。

陈子昂原本想着自己此番随军出征会衣锦还朝，结果武攸宜最终的确得胜还朝，但军功簿上却并没有陈子昂的名字。

陈子昂自觉在朝中难有立足之地，同时又愈发想念年事已高的父亲，于是主动提出辞官回乡，毅然决然地结束了自己十四年的宦海沉浮。

圣历元年（公元 698 年），陈子昂离开了繁华的神都洛阳，向着家乡的方向缓缓行去。

当初怀揣梦想离开家乡时，陈子昂还是个意气风发的少年，迫不及待地想着要在史书上留下自己浓墨重彩的一笔。如今他却悻悻地返回家乡，虽刚到中年，却已是满身暮气。此时的他不求兼济天下，只求独善其身；不求出人头地，只求安度残生。

回乡不久，父亲便去世了，陈子昂很庆幸在父亲最后的生命历程中，他能够一直陪伴在父亲左右——历经世间沧桑黯然归来，他终于明白究竟什么是自己最应该珍惜的！

陈子昂满怀愧疚地为父亲服丧。这些年来，他一直在奋力追逐心中的梦想，却忽略了最不应该忽略的家人，如今他终于可以安下心来陪伴在家人身边，去过简单而又快乐的生活。

可树欲静而风不止，射洪县令段简打破了陈子昂的宁静生活。段简居然大肆罗织罪名，借机向陈子昂敲诈勒索，使得原本还算富庶的陈子昂倾家荡产，却依旧没能逃脱牢狱之灾。

陈子昂的家人闻讯后变卖家产，东拼西凑了二十万缗钱，想要将陈子昂尽快从狱中赎出来。可阴险狡诈而又贪婪无度的段简虽收了钱，却始终不肯放人。其实段简这么做并不是为了钱，或者说并不仅仅是为了钱！

这年深秋，阴雨绵绵，寒风阵阵，在阴森的牢房之中，陈子昂蜷缩在潮湿肮脏的草席上，冻得瑟瑟发抖。这一连串的残酷打击使得他一病不起，甚至到了病入膏肓的程度。

陈子昂始终不解，段简这个一向与他无冤无仇的父母官，为何要如此丧心病狂地大肆构陷他。如今黯然回乡的他虽无官无职，但毕竟曾是皇帝身边的谏官，有朝一日或许还会东山再起，可段简这个小小的县令却执意要将他逼上绝路，何等的深仇大恨才会促使段简对他痛下杀手？

其实这世间有很多事陈子昂都想不明白，因为人性的丑陋与阴暗远远超乎他的想象。

段简如此做显然是受人指使，奉命行事。刚直不阿的陈子昂当谏官的那段日子，因直言进谏而得罪了许多权贵，其中就有武则天最宠爱的侄子梁王武三思。他在从军途中又与武则天另外一个侄子武攸宜结怨。武家人向来睚眦必报，出手狠辣，如今虎落平阳的陈子昂在劫难逃了。

天色渐渐阴沉下来，羸弱不堪的陈子昂半卧在草席上，强撑着病体用身旁的几根草棍给自己算了一卦，结果却是大凶。

陈子昂绝望地看着监牢内阴暗潮湿的墙壁，仰天长号："天命不佑，吾殆死乎！"他连喊数声后气绝身亡，一颗耀眼的诗坛明星就此殒落。他曾是那么璀璨，如今却是如此凄惨，他的遭遇令人扼腕叹息。

陈子昂一生两次从军，却未能立下尺寸之功；一生两度入狱，一次死里逃生，一次却是命丧黄泉。无数人感慨他时运不济，命途多舛。陈子昂的生命永远定格在了权斗频频、暗战不断的武则天时代，而与他年龄相仿的宋璟却熬到了玄宗皇帝李隆基登基，终成彪炳千秋的一代名相。

武则天时代虽成就了陈子昂的文学名声，却也毁了他的政治理想。陈子昂给武则天所上的那些探讨治国之道的奏疏几乎都未被采纳，不过幸运地流传下来。即便是一千年后，当清朝康熙皇帝读到那些奏疏时仍旧颇有感触，认为那些奏疏"洞达人情，可谓经国之言"。只可惜陈子昂终其一生都未能遇到似康熙皇帝这样的伯乐，始终郁郁不得志，最终还丧命于歹人之手。

陈子昂虽然只活了四十二岁，却并未真正地离去。他依旧活在气势磅礴的诗篇中，依旧活在无数粉丝的美好记忆中。即便是沧海桑田，朝代更替，每当人们吟诵起“前不见古人，后不见来者”时，仍会想起那个在幽州台上长歌当哭，“胸中自有万古，眼底更无一人”的陈子昂！

世间逍遥的仙儿——李白

李白的一生可谓一段传奇，他是一个“文可以变风俗，学可以究天人”的文士，也是一个“飘飘紫霞心，流浪忆江乡”的浪子，还是一个“十五游神仙，仙游未曾歇”的道士，也渴望成为一个“十步杀一人，千里不留行”的侠客。

青天、明月、长江、黄河在李白笔下是如此锦绣，以至于余光中先生说：“酒入豪肠，七分酿成了月光，余下的三分啸成剑气，绣口一吐就半个盛唐。”李白之后再无李白，也再无盛唐！

李白很少谈及自己的家世，即便偶有提及，也往往只提远祖，讳言近亲。根据《新唐书》的记载，李白为兴圣皇帝，也就是十六国之一西凉国武昭王李暠的九世孙，但这中间的世系传承却成了谜！

依据现有史料，只知李白的父亲为李客，是一个往返于四川与西域之间的商人，却不知李白的祖父、曾祖父究竟是何人。古人素来注重家族传承，李白却不知为何始终对自己的祖上讳莫如深！

明朝学者曹学佺所著《蜀中名胜记》中载有唐梓州刺史于邵为纪念李白所写的碑文内容：“（李）白本宗室子，其先避地客蜀，居蜀郡之彰明，（李）太白生焉。”李白居然会是皇族子弟？难道他对自己的家世避而不谈是因为有什么难言之隐吗？

有的学者经过考证后认为，李白是曾与太宗皇帝李世民争夺皇位的太子李建成的玄孙，但也有学者认为李白是曾与大唐开国皇帝李渊争夺天下后兵败被杀的李轨的第四代或第五代孙。由于特殊的历史原因，李白才对自己的祖上始终讳莫如深。不过也有学者认为李白就是普通人家的孩子，只是喜欢故弄玄虚而已。

李白的父亲李客是一位收入不菲的成功商人。家境殷实的李白从小便过着衣食无忧的生活，可以尽情地追逐心中梦想，不必受柴米油盐等的羁绊。

李白自认为“虽长不满七尺，而心雄万夫”，有着“天生我材必有用，千金散尽还复来”的自信，更有“仰天大笑出门去，我辈岂是蓬蒿人”的狂傲，毕生的政治理想便是“谋帝王之术，奋其智能，愿为辅弼，使寰区大定，海县清一”，希望能够成为彪炳史册的宰相。

在世人眼中，李白狂放飘逸，任性放达，很多人误以为他的一生都是在洒脱不羁中度过的，实际上他的一生充满了坎坷与挫折。虽然生活虐他千百遍，但他却一直视生活为初恋！

开元十二年（公元 724 年），正值青春年少的李白已然厌倦了周边游，于是离开故乡去往蜀地游历，次年又离开蜀地，到更远的地方寻梦。

李白好吟诗、爱舞剑、喜饮酒，更好交友。在漫漫旅途中，他结识了杜甫，结识了孟浩然，结识了高适，几乎所有当世名士都成了他的挚友。

“四明有狂客，风流贺季真。”这是李白写给贺知章的。

“吾爱孟夫子，风流天下闻。”这是李白写给孟浩然的，孟浩然也被戏称为“李白此生最爱的男人”。

“思君若汶水，浩荡寄南征。”这是李白写给杜甫的。两人一个崇尚浪漫，一个喜欢写实，却是殊途同归，彼此欣赏，心有所系。

“我寄愁心与明月，随君直到夜郎西。”这是李白写给王昌龄的。王昌龄的后半生不是被贬谪，就是在被贬谪的路上，而李白一辈子都没能真正当过官，可谓同是天涯沦落人。

“采尔幕中画，戡难光殊勋。”这是李白写给高适的。高适此时已然贵为御史中丞，后来成为大权在握的淮南节度使。李白身为一介布衣，却深陷叛逆的漩涡之中难以自拔。不同的人生也使得两人渐行渐远。

不知为何，李白唯独与年龄相仿的王维关系疏远。两人都是孟浩然的挚友，却颇有些“老死不相往来”的意味。据传这是因为玉真公主。玄宗皇帝李隆基的妹妹玉真公主一生都未曾成婚，又喜欢结交天下的文人墨客，时间长了便渐渐传出些真真假假的绯闻。无论是文才出众的李白，还是擅长音律的王维，玉真公主全都倾心交结。李白能够成为翰林供奉离不开玉真公主的举荐，名落孙山的王维能够高中进士也得益于玉真公主的赏识，因为眷恋并感恩着同一个女人，两人就此沦为了情敌。

李白与王维究竟是不是情敌目前还难下定论，两人之间的疏离或许更多的是性格使然。李白生性豪放，如同无拘无束的神仙，所写诗歌也是大开大合，豪情万千；王维却生性细腻，犹如沉静似水的佛陀，所写诗歌辞藻优美，意蕴深长。王维难免会觉得李白有点狂，李白难免会觉得王维有点“娘”，既然互相看不上，自然也就不多往来。

天分极高的李白是个很骄傲的人，不过他也有心悦诚服的时候。曾有这样一段传闻，某日他登上了黄鹤楼，放眼楚天，胸襟开阔，诗兴大发，正要提笔写诗时，却忽然见到大诗人崔颢登黄鹤楼赏景时写下的那首千古流传的名作：

昔人已乘黄鹤去，此地空余黄鹤楼。

黄鹤一去不复返，白云千载空悠悠。

晴川历历汉阳树，芳草萋萋鹦鹉洲。

日暮乡关何处是？烟波江上使人愁。

生性高傲的李白这次却不得不低下高傲的头，觉得自己再写一首新诗恐怕也难以超越原作，于是自愧不如地写道：

一拳捶碎黄鹤楼，一脚踢翻鹦鹉洲。

眼前有景道不得，崔颢题诗在上头。

开元十五年（公元727年），漂泊三年之久的李白终于暂时停下了远行的脚步，因为他结婚了。

李白迎娶了第一任妻子许氏。李白与元稹的婚姻观颇为相似，他们热衷于与高门大户联姻，这位许氏便是高宗朝宰相许圉师的孙女。李白婚后将家安在了湖北安陆，并在那里生活了十年之久。

魏颢在《李翰林集序》中记载：“（李）白始娶于许（氏），生一女，一男曰明月奴，女既嫁而卒。又合于刘，刘诀。次合于鲁一妇，生子曰颇黎。”郭沫若先生认为这段记载有误，应该是“生一女”，而不是“生一女一男”，因为后面似乎并没有介绍李白儿子的情况。郭沫若先生的判断似乎有几分道理，不过“明月奴”这个名字听起来虽像是个女孩的名字，但实际上却未必如此。

古代男人叫“奴”的并不少见，比如宋武帝刘裕的小名就叫“寄奴”；古代男人叫“明月”的也有，比如隋炀帝时便有个男子名叫“卢明月”，不能仅仅依据“明月奴”这个听着有些女性化的名字便理所当然地认定它一定是李白女儿的名字。

日本东京静嘉堂文库中藏有宋本《李太白文集》，不过这个版本记载的却并非“一女一男”，而是“一女二男”。许氏为李白育有两个儿子显然与史载不符，不过“二男”却为我们提供了一条重要的解读线索。

由于很多古代典籍都是手抄本，在抄写过程中很容易出错，因此魏颢所写原文很有可能是：“生一女一男，男曰明月奴，女既嫁而卒。”也就是说儿子叫“明月奴”，女儿出嫁不久就去世了。由于古文中并没有标点符号，抄写的人觉得两个“男”字叠在一起，便自作主张将“一男”改为“二男”。“明月奴”极有可能就是李白的大儿子李伯禽的小名，那个女儿应该就是李平阳，出嫁后不久便去世了。

在原配妻子许氏之外，李白还有一位刘姓情人，或许是李白的妾，或许只是单纯的同居关系。

“次合于鲁一妇，生子曰颇黎。”这段记载曾让史学界颇感困惑：李白在湖北安陆地区漂泊十年之久并在那里娶妻生子，怎么突然间又找了个山东女人？这个山东女子与李白的原配许氏是并存的关系还是前后相继的关系？注意魏颢的用词：对于许氏，魏颢用的是“娶”；对于刘氏和这个山东女子，他用的是“合”。因此这两个女人与许氏的地位并不相同，最多只是个妾。

《旧唐书》中有这样一段记载：“（李白）父为任城尉，因家焉。”李白的父亲李客分明是个行走于西域的四川商人，商人即便再有钱，社会地位也很低，怎会莫名其妙地当上官呢？

《旧唐书》中虽有很多谬误，却绝不会随意杜撰，或许担任任城县县尉之人并非李白的生父，而是他的岳父。当时穷困潦倒的李白高攀名门望族定然是要付出代价的，极有可能是入赘到了许家，于是尊岳父为“父亲”。

岳父要到任城去当官，李白便举家迁往山东。那个刘姓情人在李白迁居山东前后便离开了他，她或许是主动离开，感觉李白给不了自己想要的幸福；也可能是被迫离开，不愿背井离乡跟着李白去山东。

刘姓情人走后，不甘寂寞的李白在山东又找了一个情人，虽然这个情人连姓都没能留下，却为李白生下了小儿子李颇黎。

多年以后，李白又在梁地迎娶了同样出身名门望族的宗氏。她的祖父宗楚客曾在武则天、中宗两朝三度为相，后来李隆基发动唐隆政变诛杀了韦皇后，宗楚客因依附韦皇后被一同处死，宗家也因此一蹶不振。

虽然宗家已然中落，却依旧是高门大户，李白并非官宦子弟，又有些放达不羁，为何会被门第甚高的宗家看上呢?

坊间流传着一段真假难辨的传奇故事。当年李白与朋友在酒馆内开怀畅饮，一时间诗兴大发，于是提笔在墙壁上写下了《梁园吟》:

我浮黄河去京阙，挂席欲进波连山。

天长水阔厌远涉，访古始及平台间。

平台为客忧思多，对酒遂作梁园歌。

却忆蓬池阮公咏，因吟渌水扬洪波。

……

这首诗恰巧被宗氏看到了，她深深爱上了这首诗，更爱上了作诗之人，不惜花费重金买下了那面题有《梁园吟》的墙。

两人最终因这首诗而走到了一起，不过生性洒脱的李白却没能给她带来安定祥和的生活。此后，跟着命运多舛的丈夫，宗氏终日过着提心吊胆的生活。

离别长安的时刻

李白一生曾两度入长安。第一次是在开元十八年（公元 730 年）前后，那时的李白还是个二十多岁的毛头小子，声望远没有之后那么大，还曾与斗鸡之徒、五陵恶少起过争执，后惨遭欺凌。

李白此番前来长安，迫切想要得到张说、张垍父子的引荐。张说深受玄宗皇帝器重，还是当时文坛上响当当的领袖。他的儿子张垍迎娶了玄宗皇帝之女宁亲公主，在朝廷身居高位，也已在文坛上崭露头角。李白认为可以凭借自身才华获得张氏父子的赏识，谁知却遭受冷遇，只得在终南山下玉真公主别馆中无奈地等待着。

秋色阴霾，秋雨绵绵，整日独坐的李白见大雨激起水雾，空蒙一片，天地间一片萧瑟，一时间愁绪满怀，借酒消愁却发现愁更愁，于是便写下了《玉真公主别馆苦雨赠卫尉张卿二首》，却依旧没能得到张垍的回应。

在长安的三年时间里，李白遍访卿相，却没能如愿得到一官半职。繁华的长安城中始终没有他的容身之处，他只得黯然离开，却不承想再度前来长安已然是十二年后的事了。

天宝元年（公元742年），李白重回长安，结识了老前辈贺知章。贺知章也是位大诗人，曾留下“不知细叶谁裁出，二月春风似剪刀”这样脍炙人口的名句。当时他担任秘书监，在官场中有着不容小觑的政治影响力。

读完李白的《蜀道难》，贺知章惊叹道：“子，谪仙人也！”这就是李白“诗仙”名号的由来。李白与贺知章不仅同样才华出众，还同样嗜酒如命，后来他们以酒为媒使得朋友圈不断扩大，形成了“饮中八仙”。

与上次造访长安不同，很快李白便听到了玄宗皇帝征召自己的消息。他喜出望外地写道：“仰天大笑出门去，我辈岂是蓬蒿人。”此时人到中年的李白觉得自己苦苦追寻的政治梦想突然间变得触手可及了。

身为一介布衣的李白此番之所以能得到玄宗皇帝的征召，是因为他得到了贵人的举荐。不过究竟是何人，不同的史书中却有着不同的记载：有的说是玄宗皇帝的妹妹玉真公主；有的说是朝廷重臣贺知章；有的说是道士吴筠，此人不仅道法深厚，还文才出众，早年南游金陵，访道茅山，游天台，观沧海，时常与名士宴饮，与权贵唱酬，玄宗皇帝得知后命其待诏翰林，吴筠借机推荐了李白。

玄宗皇帝对人才有着深深的渴望，曾不止一次地说："国之急务，莫若求贤。"如此之多的人都在向他举荐李白，他自然按捺不住内心的冲动，迫切地想要见一见李白这位被传得神乎其神的文学天才。

由于得到皇帝的垂青，李白进入翰林院成为翰林供奉，也有史书记载是翰林待诏。不过它们都不属于正式官职，李白只是待在翰林院等待皇帝的征召，与白居易、元稹曾担任过的翰林学士有着天壤之别。

玄宗皇帝李隆基对传统的翰林院做了改革。翰林院主要是为了满足娱乐活动的需要，将某一领域内技艺精湛的专业人士征召至此，当时有文辞待诏、书待诏、画待诏、棋待诏、医待诏，此外还有精通阴阳五行之人，甚至德高望重的僧道。李白担任的是文辞待诏，平时主要是写写诗寻个乐子，偶尔也会如后来的翰林学士那样起草诏书。

翰林供奉、翰林待诏们的工作地点会随着皇帝起居地点的不同而不停地变化。如果皇帝住在大明宫，他们便在右银台门内候着；如果皇帝住在兴庆宫，他们便在金明门内候着；如果皇帝住在太极宫，他们便在显福门候着；如果皇帝离开长安，前往东都洛阳、骊山华清宫等地，他们也会贴身跟随，这些地方都会设有专门的待诏之所。

开元二十六年（公元 738 年），朝廷在翰林院之南设立了翰林学士院，但直到安史之乱之后，翰林学士的重要性才逐渐凸显出来。翰林学士全是官员之中的翘楚，基本上都会升迁至高位，甚至还会拜相。而翰林学士只属于使职，既没有品级，也没有定员，多的时候有九人，少的时候只有两人，后来渐渐保持在六人，有人出院后才会补充新的翰林学士。

李白虽得以在翰林院效力，却仍旧是一介布衣，不过玄宗皇帝对他很是赏识。若是假以时日，李白入仕当官也并非难事。

李白的族叔李阳冰曾在《草堂集序》中记述："（玄宗皇帝）降辇步迎如见绮、皓。以七宝床赐食，御手调羹以饭之……"不知李阳冰的记述是听李白口述，还是道听途说，但可信程度并不高。玄宗皇帝日常生活中主要是骑马，通常并不会乘辇，因此"降辇步迎"也就无从谈起。至于亲手为李白调羹，那就更不可能了。

尽管如此，玄宗皇帝的确对李白这位奇才很是器重。可就在李白大有可为之际，他却突然离开了长安。

《新唐书》的解释是"（李白）恳求还山，帝（即李隆基）赐金放还"。难道李白果真是厌倦了长安的生活而主动离开吗？这中间到底有着怎样不为人知的难言之隐呢？

很多人将李白的离去归咎于高力士，毕竟李白曾勒令高力士为自己脱靴，高力士始终对此耿耿于怀。最早记载此事的是唐代文人李肇撰写的《唐国史补》，他生活的时代与李白相隔多半个世纪。他曾这样记述：

那日，李隆基突然来了兴致，想让李白写一些新的诗词，可此时的李白却已烂醉如泥。有人急中生智将一盆冷水泼在李白的脸上，李白这才稍稍清醒了些，揉了揉惺忪的睡眼，颤巍巍地拿起笔，却是文思泉涌，挥笔而就。

就在此时，得意扬扬而又迷迷糊糊的李白竟将自己的脚伸到了高力士的面前，让这位权势显赫的大宦官来给自己脱靴。

李肇写到这里突然话锋一转，说李隆基见状急忙出面干预，让小宦官将醉意未消的李白抬走了，至于高力士到底给没给李白脱靴便没有了下文！

比李肇稍晚些的段成式在《酉阳杂俎》中将这件事演绎得更为丰富多彩，即高力士在万般无奈之下忍着气给李白脱了靴子。这件事在唐朝时便广为传播，《新唐书》《旧唐书》也全都收录此事。

《松窗杂录》还记载了另外一件事，不过时间却写错了：不可能是“开元中”，如果发生也应该是在“天宝中”。事情的经过是这样的：

兴庆池东面的沉香亭畔栽种了不计其数的名贵牡丹，花开时节，有紫红的，有浅红的，有全白的，各色相间，甚是好看。

玄宗皇帝骑着爱马“照夜白”，杨贵妃乘坐着小轿，一同前来赏花。见皇帝与贵妃赏花的兴致都很高，宫廷艺人李龟年便让梨园子弟奏乐起舞助兴，但玄宗皇帝却说："赏名花，对爱妃，哪里还能听那些陈词旧曲呢？"

小太监急忙召李白进宫，李白略一思索便下笔如飞，在金花笺上洋洋洒洒地写下了三首《清平调》：

其一：

云想衣裳花想容，

春风拂槛露华浓。

若非群玉山头见，

会向瑶台月下逢。

其二：

一枝红艳露凝香，

云雨巫山枉断肠。

借问汉宫谁得似，

可怜飞燕倚新妆。

其三：

名花倾国两相欢，

长得君王带笑看。

解释春风无限恨，

沉香亭北倚阑干。

玄宗皇帝看完这三首《清平调》后赞不绝口，随即令梨园子弟奏起丝竹，李龟年放声高歌。饶有兴致的杨贵妃端着玻璃七宝杯，倒上凉州进贡的葡萄美酒，边饮酒边赏歌，不觉喜笑颜开。玄宗皇帝也因一时兴起而吹起了玉笛。

杨贵妃饮罢美酒，听完妙曲，款款下拜向李隆基深表谢意。

李白借此在翰林院脱颖而出，但高力士却始终未曾忘记脱靴之耻，趁机对杨玉环说："李白故意拿赵飞燕来影射您，真是用心歹毒啊！"杨玉环从此对李白恨之入骨，玄宗皇帝好几次想要授予李白官职，都因她的强烈阻挠而作罢！

其实自汉代以来，赵飞燕一直是美人的化身，李白将杨贵妃比作赵飞燕实际上是在赞美她，绝非借机讽刺她。最重要的是，李白命高力士脱靴虽载入正史，但细细品味却会觉得不太可信。

高力士虽是个宦官，当时却是右监门卫大将军，堂堂正三品的高级武官，大多数宰相也不过是三品官。此外，他还是内侍省的头儿，内侍省下设掖廷、宫闱、奚管、内仆、内府五个局，仅仅是有职权、有编制的宦官就有 375 人，至于没有出身的白衣宦官更是多得不计其数。

即便是太子李亨，也就是后来的肃宗皇帝，见到高力士后都得恭恭敬敬地称呼他为"二兄"；诸王与公主尊称他为"阿翁"；驸马尊称他为"爷"，可见高力士在当时地位之尊崇。

李白不过是个小小的翰林供奉，并非体制内的官员，两者的地位极为悬殊，即使醉酒后应该也不会，更不敢做出让高力士给自己脱靴这样的荒唐事，否则他惹怒的便不仅是高力士一人，还会有玄宗皇帝！

虽然李白骨子里带着一种放达不羁，不过内心深处依旧对功名有着深深的渴望，并不想一辈子寄情于山水之间，而是想着有朝一日能够“朝为田舍郎，暮登天子堂”。在前途一片光明之际，他应该不太可能做出自毁前程的事情。

就在安史之乱爆发前夕，李白曾为他人写了一篇《为赵宣城与杨右相书》：“……伏惟相公（即杨国忠）开张徽猷，寅亮天地。入夔龙之室，持造化之权。安石高枕，苍生是仰……”此时专权误国的杨国忠已经惹得天怒人怨，社会矛盾空前尖锐，安史叛乱一触即发，可李白却在字里行间毫不吝惜对他的溢美之词，居然还将他比作舜的贤臣夔和龙、曾经挽狂澜于既倒的谢安（字安石）。虽说写这篇文章是受人所托，但如若他从灵魂深处便藐视权贵，绝无可能如此恭维被世人认为是奸相的杨国忠！

类似的阿谀逢迎之作绝非仅此一例，《明堂赋》《大猎赋》等作品中都能反映出李白的媚俗心态。

高力士脱靴极有可能是后人杜撰的另一个原因是，到了中晚唐，宦官攫取了禁军军权，不仅大肆干预朝政，而且可以决定皇帝的废立，甚至生死。

安史之乱平定后，总计有十二位皇帝登基，除了德宗皇帝李适、顺宗皇帝李诵、敬宗皇帝李湛以太子身份即位，最后一位皇帝哀帝由篡唐的权臣朱温拥立外，剩余九位皇帝均由宦官拥立：俱文珍拥立宪宗皇帝李纯；

王守澄、梁守谦等拥立穆宗皇帝李恒；王守澄拥立文宗皇帝李昂；仇士良拥立武宗皇帝李炎；马元贽拥立宣宗皇帝李忱；王宗实拥立懿宗皇帝李漼；刘行深拥立僖宗皇帝李儇；杨复恭拥立昭宗皇帝李晔。宪宗皇帝李纯和敬宗皇帝李湛直接死于宦官之手，这在我国历史上是极为罕见的！

正是出于对这种畸形政治生态的不满，世人对整个宦官群体都充满了仇恨，不惜通过杜撰李白令高力士脱靴的故事来宣泄心中的不满！

不过也有学者从李白创作的三首《清平调》中解读出了爱，认为这是李白对倾国倾城的杨贵妃内心情感的真实流露。

“云想衣裳花想容，春风拂槛露华浓。若非群玉山头见，会向瑶台月下逢。”李白用彩云和鲜花等来衬托杨贵妃的花容月貌：看到美丽的云彩便会自然而然地联想到她华丽的服饰，看到娇艳的花朵就会自然而然地联想到她倩丽的面容。如此浪漫的辞藻，如此浓烈的情感，李白会不会是在借诗传情呢？

“一枝红艳露凝香，云雨巫山枉断肠。借问汉宫谁得似，可怜飞燕倚新妆。”李白将杨贵妃比作一枝带着露珠的牡丹，那么红艳，那么芳香，还借用了楚襄王与巫山神女梦幻般相会的典故，可他却用了“枉断肠”的字样。如今杨玉环与李隆基朝夕相处，相濡以沫，怎么会“枉断肠”呢？莫非诗中楚襄王指的并不是玄宗皇帝，而是李白自己？他只能在梦里才能与杨贵妃相会，自然会枉断肠！李白貌似在用赵飞燕的美丽来衬托杨贵妃的动人，可他却用了“可怜”这个词。他会不会用“飞燕”来暗指身处宫中的杨玉环就像一只可怜的燕子，只得无奈地倚靠在玄宗皇帝这个“妆台”之上呢？

“名花倾国两相欢，长得君王带笑看。解释春风无限恨，沉香亭北倚阑干。”玄宗皇帝与杨贵妃经常在沉香亭凭栏赏花，名花与美人交相辉映，但李白竟不知为何写了“无限恨”。在如此欢快的场景里，玄宗皇帝感到的只能是幸福，只能是满足，怎么会有恨呢？或许诗中的“无限恨”并非来自玄宗皇帝，而是来自李白。眼见杨贵妃与李隆基卿卿我我，李白产生了羡慕、嫉妒和恨。

在离开长安后，李白创作了两首《长相思》，其中之一是：

长相思，在长安。

络纬秋啼金井阑，微霜凄凄簟色寒。

孤灯不明思欲绝，卷帷望月空长叹。

美人如花隔云端。

上有青冥之长天，下有渌水之波澜。

天长地远魂飞苦，梦魂不到关山难。

长相思，摧心肝。

这首幽怨哀婉的诗可谓李白这个饱受相思之苦的人真实的内心独白。在他的心中，长安既是“长相思”之地，也是“摧心肝”之地。如花的美女如今与他远隔云端，他只得望着明月空长叹，那个令他魂牵梦绕的女子究竟会是谁呢？

有些学者认定这首《长相思》是李白因思念杨贵妃有感而作。玄宗皇帝李隆基或许是察觉到了李白对杨贵妃暗生情愫，便毅然决然地将他赶走了。

关于李白与杨贵妃之间的暧昧关系并无直接的史料依据，基本上都是通过挖掘李白创作的诗歌，特别是那三首《清平调》背后隐情做出的主观判断。李白真实的创作意图已然无法考证，然而，即便李白真对杨贵妃动过心，杨贵妃也肯定不会对他动心！

虽然才华横溢的李白在当时已然很有名气，但在上流社会眼中，他不过是通过吟诗作赋来娱乐大众的文人罢了，其实与那些唱歌的、跳舞的艺人并无本质区别，只不过比他们要高雅些而已。

当时的杨贵妃不过二十多岁，李白却已年届四十了，如此之大的年龄差让两人之间难免会有代沟。虽说杨玉环与玄宗皇帝的年龄差距更大，但玄宗毕竟是大唐皇帝，李白自然无法与玄宗皇帝同日而语。

李白离开长安的时间为天宝三载，直到一年多之后，杨贵妃才被正式册封为贵妃。李白游历长安时，她在后宫还是个没有正式名分的女人，只是被称为“娘子”。在如此敏感的时候，她定然会谨言慎行。她后来与“养儿”安禄山传出绯闻，是因为当时她在宫中地位已然稳固，在经历了两次出宫风波后，她与李隆基之间出现了些许裂痕，安禄山这才得以乘虚而入。

其实史学界关于李白究竟是否见过杨贵妃都有争议。即便李白曾有幸一睹杨贵妃芳容，也定然是在众目睽睽之下。在如此短暂的时间里，在如此特殊的场合下，两人之间不太可能会产生情感共鸣。

如果玄宗皇帝觉察到李白对杨贵妃暗生情愫，又岂会轻易放他离开？玄宗皇帝绝非宽厚仁慈之人，三个亲生儿子太子李瑛、鄂王李瑶、光王李琚被诬告谋反便被他残忍赐死。如果他果真察觉到了什么，又岂会对李白心慈手软呢？

所以，李白落寞地离开长安绝不是因为杨贵妃的报复，也不是因为高力士的打压，更不是因为玄宗皇帝的嫉恨，他的离开另有原因。下面来看看曾与李白有过交集的人如何记载此事。

李白的族叔李阳冰在《草堂集序》中记载："（李白）出入翰林中，问以国政，潜草诏诰，人无知者。丑正同列，害能成谤，格言不入，帝（即李隆基）用疏之。"

李白的粉丝魏颢在《李翰林集序》中记载："上皇豫游，召（李）白。（李）白时为贵门邀饮。比至，半醉。令制出师诏，不草而成。许中书舍人，以张垍谗逐，游海岱间，年五十余，尚无禄位。"

李白黯然离开的原因是受到了同僚的排挤，那个不遗余力将他排挤走的人便是他的领导张垍。张垍是玄宗皇帝的女婿，当时掌管翰林院，得罪了如此有背景的领导，李白离倒霉的日子自然也就不远了！

张垍之所以看不上李白，一方面是因为李白不善于处理人际关系，尤其是不善于处理与领导的关系；另一方面恐怕就是因为李白我行我素并且嗜酒如命。

李白与同样酷爱饮酒的贺知章、李适之、李琎、崔宗之、苏晋、张旭、焦遂并称“饮中八仙”。杜甫曾特地为他们创作了一首《饮中八仙歌》：

知章骑马似乘船，眼花落井水底眠。

汝阳三斗始朝天，道逢曲车口流涎，恨不移封向酒泉。

左相（即李适之）日兴费万钱，饮如长鲸吸百川，衔杯乐圣称世贤。

宗之潇洒美少年，举觞白眼望青天，皎如玉树临风前。

苏晋长斋绣佛前，醉中往往爱逃禅。

李白一斗诗百篇，长安市上酒家眠。天子呼来不上船，自称臣是酒中仙。

张旭三杯草圣传，脱帽露顶王公前，挥毫落纸如云烟。

焦遂五斗方卓然，高谈雄辩惊四筵。

杜甫用白描的方式将贺知章的旷达不羁、李琎的洒脱无束、李适之的豪放释然、苏晋的我行我素、李白的特立独行、张旭的自由潇洒、焦遂的口若悬河惟妙惟肖地刻画出来，尤其是李白喝醉后，竟对天子的呼唤都不理不睬。

杜甫的诗歌虽未免有些夸张，但李白生性放达却是事实，酒醉之后更是如此，显然难以满足翰林院的工作需要。翰林院有时也会为皇帝草拟诏书，属于重要的涉密部门，李白如此饮酒无度，难免会贻误工作，泄露机密。

张垍早就看不惯李白的所作所为，时常向玄宗皇帝打小报告，久而久之，玄宗皇帝自然对李白越来越疏远，越来越冷淡。

看着曾经触手可及的梦想离自己越来越远，自尊心极强的李白感受到前所未有的失落和惆怅，无奈之下只得选择离开！

一生无果的追逐

李白少年时便怀入仕之志，在拜谒文学大家李邕时，他曾说出“大鹏一日同风起，扶摇直上九万里”的豪言壮语，奉诏入京时高呼“仰天大笑出门去，我辈岂是蓬蒿人”，即使被玄宗皇帝赐金放还后，仍旧高呼“天生我材必有用，千金散尽还复来”。

李白始终不信命，不绝望，虽四处奔忙，却屡屡受挫；虽一生追求，却终是无果。

骤然而起的安史之乱彻底打破了大唐的宁静，玄宗皇帝李隆基仓皇逃亡四川，太子李亨却在半路独自北上灵武。为了平定叛乱，玄宗皇帝让自己的儿子们前去镇守一方，但李亨却擅自称帝，玄宗皇帝无奈地沦为太上皇。得知此事后，玄宗皇帝只得黯然接受，他担心会发生兄弟阋墙的悲剧，将儿子们紧急召回，唯独永王李璘没有回来。究竟是玄宗皇帝有意为之，还是李璘擅自行事，一直是一个谜！

李璘到任后招兵买马，还盛情邀请大名鼎鼎的李白充当自己的幕僚。

李白少年时读诗书，青年时学剑术、论纵横，壮年时拜谒自荐、求仙访道，暮年时漫游入幕、参军从伍，如今已然蹉跎半生，实在不忍放弃眼前这个难得的机会。

极具政治眼光的宗夫人苦劝丈夫切勿贸然卷入皇族政争，否则后果将不堪设想。不过，此时利欲熏心的李白根本听不进夫人的规劝，执意要去投奔李璘。宗夫人只得在梁园苦等丈夫的消息，可等来的却是丈夫因“附逆作乱”而被捕的噩耗，这也成为李白一生都无法抹去的污点。

李璘的母亲早亡，由哥哥李亨抚养长大，但如今眼见着哥哥李亨擅自登基称帝，李璘却心生不甘，想要趁着当下乱局有一番大作为。李亨自然猜出了弟弟的心思，紧急诏令弟弟李璘即刻启程前往四川朝觐他们的父亲，却被李璘断然拒绝，这场兄弟对决变得在所难免。

就在战争一触即发之际，肃宗皇帝李亨紧急任命高适为淮南节度使，来瑱为淮西节度使，命两人与江东节度使韦陟共同讨伐李璘。肃宗皇帝虽是擅自登基，但他的皇帝身份已经获得了父亲玄宗皇帝的承认，江东的封疆大吏们自然习惯性地站在肃宗皇帝一边，势单力孤的李璘最终兵败被杀。

李璘败亡后，李白随即被捕。他在狱中供述自己当初受到了李璘的胁迫，但实际上却是自愿归附，还曾饶有兴致地创作了组诗《永王东巡歌》。他不明其中真相、不知其中利害，迫切地想要建功立业，谁知却误入歧途，等到身陷囹圄之际，一切都已迟了！

李白这位曾经的文学明星如今却沦落到“世人皆欲杀”的地步，性命堪忧的他只得厚着脸皮向昔日好友高适求救。

十三年前，李白与杜甫、高适在梁州、宋州等地游玩，登吹台，游梁园，一同饮酒，一同赋诗，一同狩猎。那时他们是情谊浓厚的挚友，都怀有入仕之心，却因毫无门路屡屡碰壁。

十三年的时光悄然而逝，李白与杜甫的境况并无多大改观，但高适却已今非昔比，成为手握生杀大权的封疆大吏，早已不是当初那个无所顾忌的狂生了。在如此敏感的时刻，若是高适执意为李璘余党开脱，势必会引起肃宗皇帝的不悦。不过他也并非毫无办法，李璘麾下将领季广琛便因得到他的眷顾，不仅没有获罪，反而在朝中谋得了一官半职。

李白自以为与高适情深义重，也能如季广琛那般幸运。可在他性命攸关之际，高适却视而不见，默然不管，两人也就此断交，余生都未曾再来往。

当年曾一同出游的杜甫听闻李白落难后，急得如同热锅上的蚂蚁。不过他只是个微末小官，虽心急如焚，却无可奈何。

就在李白性命岌岌可危之时，在平叛之战中屡立战功的郭子仪上表为李白求情，甚至表示情愿用自己的官职来为李白赎命，出任江南宣慰使的宰相崔涣也竭尽全力地营救他，李白这才得以侥幸“长流夜郎”。

李白的流放地究竟在哪里历来众说纷纭。夜郎国是我国西南少数民族先民在如今的贵州建立的一个古国，在战国时期为人所知。李白的好友王昌龄被贬为龙标县县尉时，李白曾留下“随君直到夜郎西”的诗句，也就是说龙标县位于夜郎西侧，绝不可能是在古夜郎国故地，因为贵州比龙标县还要靠西，而且两者相距也比较远。

目前较为可靠的说法是，唐宋时期的夜郎应位于如今的湖南省泸溪县。南宋官员王庭珪曾因触怒奸相秦桧而被流放到泸溪县，流放期间所作诗文中大量出现“夜郎”字样，比如“余坐诗语窜夜郎”，因此唐宋时期的夜郎县应该位于湖南泸溪县。

夜郎在李白心中是一片尚未开化之地，因此这次流放也是一段吉凶未卜的旅程。

乾元元年（公元 758 年）春，李白即将启程赴夜郎，妻子宗氏前来送别。此时的李白不知几时才能回来，甚至不知还能否再回来，临别之际他写下了《双燕离》：

双燕复双燕，双飞令人羡。

玉楼珠阁不独栖，金窗绣户长相见。

柏梁失火去，因入吴王宫。

吴宫又焚荡，雏尽巢亦空。

憔悴一身在，孀雌忆故雄。

双飞难再得，伤我寸心中。

一对恩爱的燕子相依相伴，不料一场大火降临，雄燕不幸身亡，雌燕憔悴伤心，盘旋不去，凄切动人，可见这首诗颇有些生离死别的意味。

不过李白后来却幸运地遇到了大赦，他喜出望外地顺着长江疾驶而下，之后写下了那首著名的《早发白帝城》：

朝辞白帝彩云间，千里江陵一日还。

两岸猿声啼不住，轻舟已过万重山。

李白刚刚返回故地浔阳，却再度惨遭逮捕，这次将他从囹圄中解救出来的是宋若思。由于李白两次被捕、两次被释均在浔阳，不少学者将两者混为一谈，据此推算出的李白年龄也就不太准确。

当年李白游历时曾在江夏遇到因罪被贬往岭南的宋之悌，也就是宋若思的父亲，两人结下了深厚的友谊。临别之际，李白以《江夏别宋之悌》相赠：

楚水清若空，遥将碧海通。

人分千里外，兴在一杯中。

谷鸟吟晴日，江猿啸晚风。

平生不下泪，于此泣无穷。

正是因为李白是父亲的挚友，宋若思在李白再度陷于危难之际主动施以援手，为李白免除了一场无缘无故的牢狱之灾。其实宋若思本人对李白也颇为仰慕，便将李白留在自己身边担任幕僚，还曾上表向朝廷举荐李白，不过并未得到朝廷的回应。李白有些灰心，又受不得官场上的诸多拘束，于是黯然离开了宋若思，再度浪迹天涯。

此时的李白既无生活来源，又无积蓄产业，生活陷入穷困之中，不得已只好前去投奔在当涂做县令的族叔李阳冰。

李白的晚年生活虽有些落寞，但有时也会收获不少感动。李白的铁杆粉丝汪伦曾写信邀请李白到家中做客。汪家在当地是世族大家，汪伦曾任泾县县令，由于实在太过留恋那里的桃花潭，便将家安在了桃花潭畔。不过泾县毕竟只是个不起眼的小县城，汪伦担心见过大世面的李白不来赴约，于是故弄玄虚地吹嘘道："先生好游乎？此处有十里桃花。先生好饮乎？此处有万家酒店。"

李白向来好饮酒，又好美景，欣然应邀而至，却并未见到信中所言盛景。他虽略感失落，但汪伦的盛情款待很快便使他心中的失落消失得无影无踪。

汪伦特地拿出用桃花潭水酿成的美酒与李白同饮，笑着说："桃花者，十里外潭水名也，并无十里桃花；万家者，开酒店的主人姓万，并非有万家酒店。"

李白听后大笑不止，并未因受到戏弄而动怒，反而被汪伦的盛情所感动。

适逢春风桃李花开日，群山无处不飞红，潭水深碧，清澈晶莹，翠峦倒映。汪伦留李白在自己家中连住数日，每日以美酒相待，不过相聚的日子终究短暂。

李白终于要走了，依依不舍的汪伦设宴为他饯行，还特地送上八匹名马与十端官锦。

李白在东园古渡乘舟缓缓离去，汪伦站在岸边拍手踏脚，久久不愿离去。深受感动的李白欣然写道：

李白乘舟将欲行，忽闻岸上踏歌声。

桃花潭水深千尺，不及汪伦送我情。

大名鼎鼎的李白无声无息地死去了，以至于何时死的、如何死的一直众说纷纭、莫衷一是。他的身上有着太多太多难解的谜团，这或许也是他独特魅力之所在。

第一种说法是醉死。《旧唐书》记载李白“以饮酒过度，醉死于宣城”，一生郁郁不得志的李白对酒情有独钟，醉死对他而言或许也是一种解脱！

第二种说法是病死。名将李光弼东镇临淮，李白不顾高龄请缨杀敌，希望在垂暮之年为挽救国家危亡而尽力，结果在从军途中病倒，后来病死于族叔李阳冰的家中。

第三种说法是溺亡。这种说法并无多少史料依据，主要存在于民间传说之中。那夜，李白在当涂的江上饮酒，喝得酩酊大醉，见水中有一弯新月，于是跳入水中捉月，最终溺水而亡。

李白虽然走了，但他的诗歌历经千年时光仍旧光芒万丈，他的人生历经千年冲刷仍旧堪称传奇！

出头怎么那么难——杜甫

“诗圣”杜甫一生忧国忧民，他的诗也被后世尊称为“诗史”。他尽管历经宦海沉浮，却始终胸怀大志；尽管颠沛一生，却始终不忘初心。由于他晚景凄凉，生活拮据，以至于很多人会误以为他出身寒门，其实并非如此。他的母亲出身于当时第一等世族清河崔氏，位列“五姓七望”之一。能够与清河崔氏联姻，杜家绝非小门小户。

杜甫的曾祖父杜依艺曾担任巩县县令，于是便举家定居在巩县。祖父杜审言曾任膳部员外郎，父亲杜闲也是官场中人，身为“官 N 代”的杜甫从小便过着安定富足的生活。

杜家可是名副其实的书香门第。杜审言与李峤、崔融、苏味道并称“文章四友”。李峤曾在武则天、中宗两朝三度拜相，苏味道曾在武则天时期三度拜相，崔融与宰相之位仅有一步之遥，唯有杜审言官位不高。不过他的文学成就却丝毫不逊于其他三位，被誉为五言律诗的奠基人。

由于杜甫在后期所写诗歌总是充盈着国破家亡的无奈和辛酸，因此他留给世人的印象似乎总是一副忧国忧民的样子。其实杜甫小时候也有着顽皮的一面，如“庭前八月梨枣熟，一日上树能千回”就说明，孩童时的杜甫居然还是个爬树高手，时常爬到树上登高远眺。

其实杜甫年轻时也如李白那样狂放不羁，多年以后曾这样评价自己的青年时代：

甫昔少年日，早充观国宾。

读书破万卷，下笔如有神。

赋料扬雄敌，诗看子建亲。

李邕求识面，王翰愿卜邻。

杜甫年轻时曾宣称自己的辞赋可以与汉代大文豪扬雄媲美，诗歌可以“三曹”之一的曹植匹敌，文学大家李邕求着与他谋面，诗坛前辈王翰愿意与他为邻。此时的杜甫是何等的疏狂！但残酷的生活却会重塑这个张狂自信、纵马狂歌的少年，将他塑造成历经磨难依旧痴心不改的一代“诗圣”。

杜甫青年时四处游历，曾受到许多艺术大家的熏陶。他曾在河南郾城看过舞蹈家公孙大娘的剑器浑脱舞；曾在洛阳尚善坊岐王李范的宅里，以及遵化里玄宗宠臣崔涤的堂前，听过音乐家李龟年的歌声；曾在洛阳北邙山顶玄元皇帝庙里欣赏过画圣吴道子画的五圣尊容、千官行列。

杜甫生活的盛唐是一个奋发昂扬、热血沸腾的时代，当时的青年人都渴望着有朝一日能够出将入相，建功立业，彪炳千秋。年少轻狂的杜甫自然也不例外，不过一个又一个人生挫折却骤然而至。

杜甫的父亲杜闲曾任兖州司马，杜甫原本可以凭借门荫入仕，但可能是因为他并非杜闲长子，故而未能享受到这项优惠政策。杜闲后来改任奉天县县令，杜甫仍符合门荫的条件，但杜闲任期未满便去世了，杜甫彻底丧失了门荫入仕的机会，只能通过自己的努力来入仕。

开元二十四年（公元 736 年），杜甫在洛阳参加了进士科考试，谁知却名落孙山。自此他再也未曾踏进过进士科的考场。

当时官员总数为 18805 人，玄宗一朝总共录取进士 1116 人，仅占官员总数的约 6%，通过其他方式入仕仍旧是主流。况且进士科能否及第并不仅仅依靠卷面成绩，还要综合考量考生的社会背景、举荐人员、行卷文章等因素。晚唐大才子杜荀鹤多次参加进士科考试，却直到中年才得朱温举荐高中。他曾愤恨地说："空有篇章传海内，更无亲族在朝中。"

正因如此，杜甫果断地放弃了进士科考试，开始了说走就走的旅行，这一走便是十年。他不在乎目的地，只在乎沿途的风景和看风景的心情。

在旅途中，杜甫结识了许多情投意合的挚友，其中就有相交一生的李白。两人同游梁宋，又相约齐鲁，尽情享受着难得的惬意时光。

离别之际，杜甫伤感地写道："余亦东蒙客，怜君如弟兄。醉眠秋共被，携手日同行。"

李白不舍地写道："秋波落泗水，海色明徂徕。飞蓬各自远，且尽手中杯！"

此次分别之后，两人虽始终牵挂着对方，也时常书信来往，却未曾再见过面。

天宝六载（公元 747 年），已然三十六岁的杜甫来到长安参加制举考试，这是他第二次也是最后一次参加科举考试。

杜甫此番前来可谓信心满满，谁知权相李林甫却故意导演了一出"野无遗贤”的闹剧——所有考生居然全部落选！他想要给玄宗皇帝李隆基营造所有有才之士都被召入朝中的假象，却苦了像杜甫这样刻苦攻读的考生们。

心灰意冷的杜甫一生都未曾再踏入考场，但他并未放弃入仕为官的梦想，只是换了一种方式而已。他客居长安近十年，在权贵间奔走献赋，却迟迟得不到举荐，以至于生活困顿、意志消沉。

杜甫时常站在地势广阔的乐游原，注视着八百里秦川，春草碧色，树木葱茏；眼见着玄宗皇帝骑马穿过夹城前往芙蓉园游玩，舞袖翻飞，清歌直上，歌舞升平，穷奢极欲。此时此刻他的心头却满是悲凉：空有报国之志，却无处施展；空有一腔热血，却无处抛洒。

就在杜甫几近放弃的时候，一缕希望的曙光却突然照进了他的生活。

天宝十载（公元 751 年）正月，玄宗皇帝李隆基下诏举办祭祀太清宫、太庙和天地三大盛典。在大典举行前夕，杜甫瞅准时机献上《三大礼赋》。这篇气势恢宏的赋深深地打动了玄宗皇帝，他随即命杜甫待制集贤院。

杜甫就此获得了参选官员的资格，不过主持选官的却依旧是曾经导演了“野无遗贤”闹剧的李林甫。杜甫勇于自荐的行为无疑狠狠地打了李林甫的脸，也戳穿了他精心炮制的政治谎言。在李林甫的暗中阻挠下，杜甫迟迟未能获得官职。

好在李林甫转年便病死了，但继任宰相的杨国忠并非任人唯贤的贤相，而是依靠裙带关系爬上来的外戚。不过他不似前任李林甫那样将杜甫视为眼中钉、肉中刺。

天宝十四载（公元755年），杜甫被朝廷授予河西县县尉，可他却根本看不上这个小官，愤然写道："不作河西尉，凄凉为折腰。"

因杜甫不愿赴任，朝廷改任他为右卫率府兵曹参军。东宫设有十率府，右卫率府便是其中之一。十率府专门负责太子的安全保卫工作，兵曹参军具体负责本率府的兵籍管理等事宜。

杜甫虽对这个官职也不满意（一向自视甚高的大才子终日混迹于军汉中间，难免会觉得有些掉价），但如今他已然四十四岁了，迫于生计只得黯然接受了这项工作安排。

当年十一月，杜甫从长安返回位于奉先县的家中，一路上忽然生出大厦将倾、风雨欲来之感。他刚刚走进家门，便听到了家人凄厉的哭号声，原来是他的小儿子刚刚被活活饿死了。悲愤不已的杜甫写下了著名的《自京赴奉先县咏怀五百字》：

杜陵有布衣，老大意转拙。

许身一何愚，窃比稷与契。

……

朱门酒肉臭，路有冻死骨。

……

忧国忧民、忠君念家、怀才不遇……各种复杂情愫错落地堆积在他的心头。此时的大唐虽然仍旧光鲜亮丽，但在杜甫的眼中却早已是千疮百孔。

很快，长达八年的安史之乱便爆发了。转年六月，潼关失守，玄宗皇帝李隆基仓皇西逃。战争蹂躏下的曲江不复昔日的繁华喧嚣，可谓：“少陵野老吞声哭，春日潜行曲江曲。江头宫殿锁千门，细柳新蒲为谁绿？”

面对突如其来的战乱，杜甫只得举家迁往鄜州羌村避难。听闻肃宗皇帝李亨已然在灵武即位，杜甫毅然决然地只身北上，但途中却不幸被叛军俘虏，随后被押至长安。

杜甫的夫人始终挂念着音信皆无的丈夫，她遥望着苍白的月，冷淡的月光照在她冰冷的玉臂上，两颊还残留着泪水流过的痕迹，身边的孩子却不知母亲为何而哭泣。

与此同时，身陷囹圄的杜甫也遥望着同一弯月亮，“无家对寒食，有泪如金波”。

杜甫与另一位大诗人王维被关押在一起，不过王维此前曾在朝中身居要职，杜甫却只是个名不见经传的八品小官，叛军对他看管得也比较松懈，他一直想找机会逃出去。

至德二载（公元 757 年）四月，郭子仪的大军来到长安附近，杜甫冒险从城西金光门逃出城去，穿过对峙的两军，一路逃至肃宗皇帝李亨的行在凤翔。当时肃宗皇帝李亨身边的朝臣少得可怜，也就三十多人，见大才子杜甫居然历经艰险前来投奔，他自然是喜出望外，当即授予杜甫左拾遗的职务，杜甫也时常被人称作“杜拾遗”。

就在杜甫的仕途变得豁然开朗之际，他却因为替好友房琯求情而彻底断送了自己的大好前途。

房琯比杜甫年长十五岁，早年生性淡泊，隐居在陆浑山中长达十几年，潜心读书，不问世事。玄宗皇帝李隆基想要封禅泰山，房琯得知后写了一篇《封禅书》进献给玄宗皇帝。中书令张说早就听闻房琯是难得的饱学之士，见玄宗皇帝看完《封禅书》后流露出爱才之意，借机大力举荐他。房琯通过荐举得以步入仕途，被任命为秘书省校书郎。

对科考彻底灰心的杜甫也想走老大哥房琯曾走过的这条荐举老路，却没有那么幸运，以至于“困居长安十年”，入仕无门，求官无望。相比之下，房琯则先后出任主客员外郎、主客郎中、给事中等朝中要职，成为颇有前途的官员。

房琯并未因身居高位而变得高不可攀，仍旧如之前那样乐于助人、慷慨好客。在客居长安的杜甫最困顿无助之际，房琯却慷慨地接济他，令他感激不已。如今杜甫官当得虽不大，却是皇帝身边的谏官，自然想着要在关键时刻拉兄弟一把。

房琯在追随玄宗皇帝入蜀途中被拜为宰相。肃宗皇帝李亨即位后，他又奉玄宗皇帝之命前来辅佐肃宗皇帝。当时肃宗皇帝身边可以倚重的人少之又少，自然对他颇为器重，甚至还委以平定叛乱的重任。可房琯不通兵事，于是便将军务委托给书生出身的李揖与刘秩。

官军与叛军在陈涛斜遭遇了。房琯原本想着先防守，等待合适的时机再出击，但皇帝派来负责监军的中使却一再催促，他只得硬着头皮迎战。

房琯居然别出心裁地采用春秋时期的车战之法，以两千乘牛车为前锋，马步军护卫在左右。

战斗打响了。叛军大声擂鼓呼喊。这些平日里用于耕作的牛未曾见过这般阵势，全都吓得停滞不前。叛军顺着风势将手中火把扔了过来，顿时火光冲天，浓烟滚滚，彻底击溃了那些本来应该在田间耕作的耕牛的心理防线。被房琯寄予厚望的牛儿们四散奔逃。牛车上的驾手根本驾驭不了东冲西撞的牛儿们，一时间人仰车翻，人畜相互践踏，死伤多达四万余人，仅有数千人逃出。

惨败而归的房琯向肃宗皇帝肉袒请罪，正值用人之际的肃宗皇帝虽并未重责于他，却也不似之前那般信任他了。

此时地位岌岌可危的房琯不仅不知收敛，居然还四面树敌，放纵属下，轻易授人以柄。门客董庭兰因琴艺精湛受到房琯的青睐，可董庭兰却并非安分守己之人，居然打着宰相房琯的幌子大肆弄权谋利。司法部门查办董庭兰时，房琯才意识到事态的严峻性，急于进宫申辩，却被肃宗皇帝斥退。房琯随后便被罢免宰相之职，贬为太子少师。

杜甫觉得自己报恩的时候到了，于是有些不合时宜地上书为房琯鸣冤，言辞还颇为激烈。

其实肃宗皇帝打压房琯的深层次原因是他牵涉到皇家纷争之中。玄宗皇帝逃亡四川途中曾经让自己的四个儿子分赴四地主持平叛事宜，正因如此，永王李璘才起了异心。好在肃宗皇帝出手果断，永王李璘又有些优柔寡断，因而并未掀起什么大的风浪。但肃宗皇帝一直对此心有余悸，他认为当时若稍稍处置失当，便可能会造成南北分裂的局面，甚至会被安史叛军各个击破。

贺兰进明拜谒肃宗皇帝时，称当初四王分镇四地乃是房琯的主意。新仇旧恨一起涌上了肃宗皇帝的心头，房琯自然要倒霉了。

杜甫却看不透其中的玄机，以“细罪不宜免大臣”为由进行劝谏。其实当时劝谏的人并非只有杜甫一人，却只有他一人抱着“杀身成仁”的理念，言辞激烈地指斥肃宗皇帝的不当之处。怒不可遏的肃宗皇帝想要对杜甫施以刑罚，好在新任宰相张镐为杜甫苦苦求情，这才让他逃过一劫，可杜甫也就此失去了肃宗皇帝的信任。

至德二载（公元 757 年）九月，官军收复了被叛军占领了一年多的长安。肃宗皇帝率领朝臣们兴高采烈地重返长安，杜甫也得以在长安度过了八个月的惬意生活，不过一场残酷的政治清洗却悄然拉开了帷幕。

房琯、严武、杜甫等被肃宗皇帝视为眼中钉的“房党”人士均惨遭贬斥。杜甫于乾元元年（公元 758 年）六月被贬为华州司功参军，终生都未能再回朝，因仕途蹉跎而潦倒一生。

华州条件艰苦，苍蝇成群，蝎子遍地，公务繁多，同僚对他孤立排挤，上级对他苛责无度。心情苦闷的杜甫时常到西溪畔的郑县亭子排忧解闷，抒发对仕途失意的感慨和对世态炎凉的愤懑。

乾元元年（公元758年）底，杜甫请假离开华州，前往洛阳等地探亲。次年三月，邺城之战结束，唐军围攻邺城以失败而告终，战争形势急转直下，短期内平定叛乱的希望就此彻底破灭。

从洛阳返回华州的途中，杜甫真切地感受到常年战乱带给百姓们的无穷灾难，当然其间也不乏百姓忍辱负重、毁家纾难的爱国壮举。感慨万千的杜甫提笔写就了不朽史诗——“三吏”（《新安吏》《石壕吏》《潼关吏》）和“三别”（《新婚别》《垂老别》《无家别》）。

乾元二年（公元759年）夏天，华州大旱，杜甫写下了《夏日叹》和《夏夜叹》，因忧时伤乱而咏叹国难民苦。这年秋日，杜甫因对污浊的时政痛心疾首，正式辞去了华州司功参军的职务，踏上了前途莫测的南下之路。

这一年也成为杜甫生命中最为重要的转折之年。在此之前，杜甫的诗歌尚未明显超越同时代的诗人；在此之后，很少有人能够超越杜甫。正是无尽的苦难成就了他“诗圣”的千古美名，却也将他折磨得奄奄一息！

飘零在南方的日子

杜甫几经辗转，最后来到成都，在剑南西川节度使严武等好友的帮助下，在城西浣花溪畔建成了一座草堂，世称“杜甫草堂”，也称“浣花草堂”。

失去经济来源的杜甫生活自然很是拮据，可他仍旧喜欢呼朋唤友，以诗会友。那日杜甫又将一大帮朋友叫至家中饮酒，这让杜夫人十分为难：他们一直以来都是勉强度日，如今又如何能拿得出好酒好菜？

就在杜夫人愁眉不展之际，杜甫来到厨房中解围。他命杜夫人做了三菜一汤，分别是炒韭菜外加两个蛋黄、炒韭菜外加蛋白、清蒸豆腐渣、韭菜豆腐汤中加了几片白色蛋壳。无论菜还是汤，看着都很是寒酸，但杜甫灵机一动，分别取名为“两个黄鹂鸣翠柳”“一行白鹭上青天”“窗含西岭千秋雪”和“门泊东吴万里船”。

虽然下酒菜都很是普通，但因配上了如此高雅的名字，顿时便显得颇为高大上，几位友人一致拍手叫好。不过这个故事演绎的色彩却很浓厚。

草堂是杜甫精心打造的世外桃源，但一场战乱彻底打乱了他宁静祥和的生活。

宝应元年（公元 762 年）七月，剑南节度使严武回朝担任太子宾客，后改任京兆尹兼御史大夫。杜甫依依不舍地送别好友，可严武前脚刚刚离开成都，剑南西川兵马使徐知道后脚便反了。

成都大乱，局势动荡，杜甫只得举家迁往梓州避难，暂别了自己心心念念的草堂。

两年后，严武再度出任剑南节度使，杜甫这才如愿回到了魂牵梦绕的草堂。严武表荐杜甫为检校工部员外郎、剑南节度参谋。这也是杜甫此生当的最大的官，后人也因此称呼他为“杜工部”。不过他担任的仅仅是代表品级与待遇的检校官，其实不在工部任职，干的仍旧是节度参谋的活儿。

在之前的几年里，辞官不做的杜甫拖家带口，殊为不易，虽时常得到朋友接济，却因没有了朝廷俸禄而衣食无着，来到成都后日子虽渐渐好起来，过得却依旧拮据。如今他再度为官，获得了月俸一千文钱以上的稳定收入，经济状况大为改善，自然对老友严武颇为感激。

不过杜甫此番任职却仅仅持续了半年时间。他受不了官场上的许多约束，更难忍受同僚的敌视与排挤，于是怀着悲愤的心情写道："白头趋幕府，深觉负平生。"

辞官而去后，杜甫重新回归怡然自得的草堂，之后再也未曾踏足过仕途。不过他此番离开却对知己严武怀有几分愧疚，觉得辜负了他对自己的期许和眷顾，可谓"穷途愧知己，暮齿借前筹"。

四十岁的严武不幸英年早逝，这对杜甫而言是个惊天噩耗，可谓"一哀三峡暮，遗后见君情"。等到失去了这位挚友，杜甫才真正意识到他对自己的好。

如今好友骤然离世，杜甫在成都变得无依无靠，只得黯然离开成都。在人生最后的几年时光里，寄人篱下的杜甫一直过着居无定所的生活，从生活拮据到忍饥挨饿。他在人生暮年遍尝世间艰辛，这是时代使然，但又何尝不是性格使然呢？

杜甫辗转来到了夔州，受到了夔州都督柏茂琳的盛情款待。柏茂琳特意让他为公家代管一百顷东屯公田，借此收入杜甫自己租了一些公田，买了四十亩果园，还雇了几个工人。

由于生活暂时安定下来，在不到两年的时间里，他居然写下了四百三十多首诗歌，约占他现存诗歌作品总数的约百分之三十。《登高》中那句“无边落木萧萧下，不尽长江滚滚来”更是成为千古绝唱。

大历三年（公元 768 年）早春，杨柳泛绿，新竹吐翠，思乡心切的杜甫离开了夔州，乘船驶出三峡，抵达江陵。

不过他在江陵却是处境堪忧，曾说：“饥籍家家米，愁征处处杯……自古江湖客，冥心若死灰。”穷困潦倒的杜甫居然窘迫到了家家求米、户户借酒的地步。更糟的是，杜甫因抨击荆南节度使卫伯玉的为政之道而不得不黯然离开。当地至今仍流传着杜甫在江陵城中卖药却屡遭其打压的故事。

广德元年（公元 763 年），卫伯玉出任荆南节度使，后来他的母亲去世了，朝廷本想找人替代他，但兵权在握的卫伯玉却并不想轻易交权，于是便教唆手下将士拒绝接受朝廷诏令。当时安史之乱刚刚平定不久，代宗皇帝李豫又是个习惯妥协退让的人，只得无奈地让卫伯玉夺情起复。卫伯玉连续担任荆南节度使长达十三年之久，直到病逝前夕才主动离职。

当时，杜甫在江陵城中开设了一家名为“百草堂”的药店，门口贴着一副极为独特的对联：上联为“独活灵芝草”，下联为“当归何首乌”。听闻卫伯玉在楚国宋玉故宅旁新盖了一座宅邸，杜甫为了示好，主动献诗一首：

摇落深知宋玉悲，风流儒雅亦吾师。

怅望千秋一洒泪，萧条异代不同时。

江山故宅空文藻，云雨荒台岂梦思。

最是楚宫俱泯灭，舟人指点到今疑。

杜甫借助这首诗向卫伯玉释放善意的信号，可武将出身的卫伯玉却是个不学无术之辈，身边门客更是从中恶意挑拨，说："杜甫自比怀才不遇的宋玉，却将您比作识人不明的楚王，还诅咒您迟早会与那楚宫一样灰飞烟灭。"不明就里的卫伯玉由此对杜甫怀恨在心。

杜甫此时还并不知情，仍旧尽心竭力地经营着自家药铺。由于货真价实，童叟无欺，他的药铺吸引了越来越多的人前来买药。可同行是冤家，眼见杜甫所开药店生意日渐兴隆，其他药铺的掌柜们认为杜甫抢了自家生意，于是用重金收买了卫伯玉身边的书吏——此人刚刚在赌场输了个精光，见有人主动前来送钱自然是欣然接受。

那个书吏故意在卫伯玉面前挑拨道："杜甫在药店门口招揽客人时曾夸下海口，说'百草堂'中应有尽有，他这是想要将别家药铺都挤垮啊！"

卫伯玉不悦地问："果真有这种事吗？"

书吏继续道："此事千真万确！那个杜甫自恃才高，居然连您都不放在眼中！"

卫伯玉随即拿起书案上的笔，写了一张药方递给书吏："你现在就去'百草堂'，看看药方上的这些药他们究竟有没有！若是没有，你便让他滚出江陵城，永远都不要再回来！”

书吏兴冲冲来到“百草堂”，将药方往柜台上一甩，大声说：“这是我家卫大人急需的药，赶快照方抓药。”

店内伙计接过药方一看顿时便傻了眼，上面写着四味闻所未闻、见所未见的药材：“行运早，行运迟，正行运，不行运。”

见店内伙计呆在原处，书吏故意挑衅道：“若是拿不出这四味药材，你们就滚出江陵城！”

杜甫赶忙走了出来，一看便知卫伯玉在故意刁难自己，灵机一动道：“卫大人需要的药，小店里还真有！”

书吏顿时大吃一惊，随即向杜甫投去疑惑不解的目光。

杜甫不慌不忙地拿出四味草药：一片萝卜干，一块生姜芽，一个鲜李子，一颗干桃儡。书吏不屑道：“这都是些什么？这能是我家卫大人要的药？”

杜甫慢慢解释道：“萝卜干乃是‘甘罗’之意，甘罗十二岁为丞相，你说他是不是‘行运早’呢？生姜芽乃是‘姜子牙’之意，姜子牙八十三岁遇文王，你说他是不是‘行运迟’呢？这红皮李子目前在市场上正走俏，是否‘正行运’呢？这是隔年的桃子，已然成了桃干，是否‘不行运’呢？你家卫大人正如这‘正行运’的红皮李子，我杜甫就好比‘不行运’的干桃儡，真可谓‘李代桃儡’！”

杜甫卖药的故事虽然很精彩，但杜撰的色彩很浓厚。生性高傲的杜甫虽一生不畏权贵，却并无经商的头脑，又岂会突然在人生地不熟的江陵开起药铺呢?

不过杜甫的确曾因不幸触怒了卫伯玉而不得不离开江陵，来到与江陵相距三四十里的公安。刘备曾常驻于此，下属们给他写信时总会询问“主公安否”，于是他便将此地改名为“公安”。杜甫在那里遇见了天才诗人李贺的父亲李晋肃，此时的李晋肃做梦都不曾想到自己的宝贝儿子竟会因自己的名字而贻误一生。

公安毕竟只是一座小县城，杜甫并未在此久留，而是乘舟前往湖南岳阳。

杜甫登上了神往已久的岳阳楼，凭栏远眺，只见眼前烟波浩渺，壮阔无垠，不禁触景伤情。他想到自己晚景凄凉，以舟为家；国家多难，政局混乱，自己空有一腔热忱，却报国无门，于是写下了《登岳阳楼》:

昔闻洞庭水，今上岳阳楼。

吴楚东南坼，乾坤日夜浮。

亲朋无一字，老病有孤舟。

戎马关山北，凭轩涕泗流。

由于囊中羞涩，杜甫不得不放弃了北归回乡的念头，想要南下投奔自己的舅父，可行至潭州时却遇上了一场始料未及的兵乱。

自从安史之乱后，地方兵将大多骄横跋扈，“喜则连衡而叛上，怒则以力而相并”，稍稍不如意便“逐帅杀帅”。当时湖南道迁至潭州只有两年时间，湖南观察使、潭州刺史崔瓘为人正派，任官清廉，政绩昭彰，声望颇高，对于那些不遵纪守法的将士绝不姑息，以至于与兵马使臧玠等将领积怨日深。

发放军粮时，臧玠与判官达奚觏又发生了争执。当夜，恼羞成怒的臧玠以诛杀蓄意为难他们的达奚觏为名率兵攻掠州城，崔瓘被杀，城中大乱，百姓夜半时分被惊起，纷纷夺路而逃。

惶恐不安的杜甫混在逃难的百姓之中，目睹如此凄惨的情景后，愤然写下了《入衡州》：

……

元恶迷是似，聚谋泄康庄。

竟流帐下血，大降湖南殃。

烈火发中夜，高烟焦上苍。

至今分粟帛，杀气吹沅湘。

……

面对这场始料未及的战乱，杜甫感到深深的愤慨和无尽的悲凉。曾经那个繁盛的大唐已经悄然远去，如今的大唐却是千疮百孔、兵戈四起、民不聊生。

等局势稍稍安定之后，杜甫才得以继续南下。可行至耒阳时，江水暴涨，前行无望，他只得停泊在方田驿，接连五天都忍饥挨饿，幸亏聂县令派人送来酒肉，杜甫一行人才得救。

从耒阳到郴州，杜甫需要逆流而上二百多里，洪水又始终不曾退去，他不得不顺流而下，折回满目疮痍的潭州。

杜甫写的诗越来越多，但人生道路却是越走越窄，命运已不复为自己所掌控。他如同沧海一粟，只能随波逐流；他脸上的泪在流，却不知路在何方，只得满怀悲凉地说："我在路中央，生理不得论。"

大历五年（公元 770 年）冬，五十九岁的杜甫在一条从潭州前往岳阳的小船上骤然离世，恍惚间似乎又回到了那个"小邑犹藏万家室，稻米流脂粟米白。公私仓廪俱丰实，九州道路无豺虎"的开元盛世……

| 延伸阅读 | 李白生卒年之谜

史学界关于李白的生卒年一直存在很大争议。《为宋中丞自荐表》中有“臣伏见前翰林供奉李白年五十有七”的句子，因此它的写作时间成为判断李白生卒年的关键。

学界普遍认为，《为宋中丞自荐表》写于至德二载（公元757年）。然而，经过分析，《为宋中丞自荐表》极可能写于李白获释的次年，也就是宝应元年（公元762年），倒推可知李白生于神龙二年（公元706年），卒于大历二年（公元767年）。由此可知，《为宋中丞自荐表》的写作时间与李白生卒年是相互印证的。

唐人李士训的《记异》明确记载李白在大历初年仍活在人世，但《旧唐书》与《新唐书》所列书目中均未出现《记异》的身影，因此有些学者不采信《记异》的记载。四川大学古籍整理研究所教授舒大刚、舒星所写《李白卒年史料新证》对《记异》这段记载进行详细考证后确定其可信性，在此不再赘述。因此，《记异》成为李白卒于大历年间的重要证据，再结合《为宋中丞自荐表》写于宝应元年，推定李白卒于大历二年。

根据刘全白的《唐故翰林学士李君碣记》和范

传正的《唐左拾遗翰林学士李公新墓碑并序》的记载，人们很容易认为李白去世于代宗皇帝即位不久，这也从侧面印证了李白卒于宝应元年。然而，欧阳修修撰《新唐书》时，对刘全白和范传正留下的原始史料存在一定程度的误读，我们不能武断地认为“拜公左拾遗”一定发生在代宗皇帝即位不久。

代宗皇帝任命李白担任左拾遗极有可能是在其颁布《大历元年十一月制》之后。根据从长安到当涂县的交通状况，圣旨传达到李白住处时应该是第二年，这与李白卒于大历二年的论断也颇为相符。

第三章 意气兼将生命酬

——醉心田园的三种不同人生

田园诗派一直是我国古代诗歌的一个重要流派，代表人物便是东晋大诗人陶渊明。唐朝涌现出王维、孟浩然、韦应物与柳宗元四位代表性人物，人称“王孟韦柳”，他们都对田园生活有着深深的眷恋，所作诗歌有的近似口语，有的如同歌谣；有的直抒胸臆，有的寓意高远；有的平淡自然，却又不失色彩，在诗情画意中给人清新淳美之感。

不过在这四人之中，柳宗元的身份却有很多重：与韩愈同为“唐宋八大家”，并称“韩柳”；与刘禹锡情谊厚重，相伴一生，并称“刘柳”。因此，柳宗元将放在下一章中进行介绍。

生活不止有诗与远方的田野——王维

空山不见人，但闻人语响。

返景入深林，复照青苔上。

落日余晖照入深林，映照在青苔之上，幽静的山谷中虽看不见人，却能听闻人声，空谷传音，人隐山中，人语过后，愈发空寂。

这首《鹿柴》是王维诗作中的佼佼者，诗中尽是画境，画中又藏有诗意，清新淡雅，自然脱俗，意境高远。

王维一生都痴迷于田园之美，却又不满足于仅仅将其呈现在诗中画里。他于天宝三载（公元 744 年）开始在蓝田营造辋川别业，将心中之象化为眼前之景。

令王维骄傲一生的辋川别业中有“鸟声乱溪水”的木兰柴，有“但闻人语响”的鹿柴，有“潆渟澹不流”的金屑泉，有“独坐幽篁里”的竹里馆，有“青荧天色同”的欹湖……

无论是山中人还是林中客，无论是居于此还是访于斯，只要置身于辋川别业，便犹如在诗中行、在画中游。

王维时常流连于辋川别业，煮上一壶茶，弹上一曲琴，遥望一弯月，听着屋檐细雨，想着花落无声，看着苔痕成翠。这里虽是他心头一片远离尘嚣的净土，但纷扰的世事却使他很难真正地静下心来。

王维出身于名门望族河东王氏，但究竟生于何时，一直众说纷纭，可信程度最高的说法便是生于长安元年（公元 701 年）。

父亲在王维很小的时候便去世了，母亲崔氏是带发修行的居士，礼佛吃素成为他们日常生活中不可或缺的一部分。王维因深受家庭影响，一生崇佛，为自己取的字为摩诘，号为摩诘居士。摩诘为维摩诘的简称，维摩诘是佛教中著名的在家菩萨，家财万贯，奴婢成群，却又勤于诵经，虔诚修行，处相而不住相，对境而不生境，享尽人间富贵，却又深得佛法精要，王维一直将他视为崇拜的对象。

开元三年（公元 715 年），十五岁的王维离开了熟悉的家乡，前往陌生的长安。长安是大唐才子们心中的圣地，只有来到这里，才能为自己的梦想插上翅膀，向着心中的彼岸奋力翱翔。

王维能写诗，会作画，擅音律，简直就是无所不能的全才，所以他的名声在长安王公贵族间迅速传播开来。王维虽为此欣喜不已，但孤身一人的他却会时常思念家乡的亲人，每逢重阳日更是如此，于是便写下了我们耳熟能详的《九月九日忆山东兄弟》：

独在异乡为异客，每逢佳节倍思亲。

遥知兄弟登高处，遍插茱萸少一人。

孤身来到长安的王维孤独而又寂寞，却始终初心不改，咬牙坚持，希望能坚持到梦想实现的那一日。

王维成为岐王李范府上的常客，可谓“岐王宅里寻常见”。李范为睿宗皇帝李旦第四子，也是当时在位的玄宗皇帝李隆基的弟弟。此人喜好音律，又无藩王架子，无论贵贱，只要是志趣相投之人，都会倾力结交。

开元九年（公元 721 年），王维如愿以偿地进士科及第。按照惯例，贡举及第者往往守选三年才能参加吏部组织的铨选，但他幸运地在高中当年便被朝廷授官。

二十一岁的王维被任命为太乐丞，也就是太常寺下属的太乐署的二把手，掌管宫廷音乐与舞蹈，以供朝廷祭祀宴享时听用。

王维兴冲冲地去上任了，但仅仅几个月后，他便遭遇了一场严重的政治风波，史称“舞黄狮子事件”。

朝廷的音乐舞蹈绝非寻常娱乐活动，而是严肃的国事活动，不容一丝一毫的闪失，也不容一分一厘的僭越。黄狮子舞属于“御舞”，只有天子在场时才能舞。但不知是心血来潮无所顾忌，还是不明就里被人蒙骗，抑或舞者为了讨好擅自为之，反正舞者在天子未到场时便舞起了黄狮子舞。

此事传到玄宗皇帝耳中，顿时惹得龙颜大怒，王维当即被贬为济州司仓参军。王维的上司太乐令刘贶也受到牵连，其父左散骑常侍刘知几自以为是朝中老臣，闻讯后赶忙出面为儿子求情，却被贬为安州别驾，很快便郁郁而终，可见此事牵连之广。

僭越之事可大可小，此番玄宗皇帝却出手极重，这又是为何呢？玄宗皇帝既不是父亲睿宗皇帝李旦的长子，也不是他的嫡子。李旦第一次登基时曾册立嫡长子李宪为太子，李隆基原本与皇位遥不可及，可后来却发生了戏剧性的一幕。李旦的母亲武则天亲手将李旦扶上皇位，又亲手将他赶了下来。武则天暮年时，群臣拥戴李旦的哥哥李显为皇帝，李旦沦为无所事事的相王，但李显后来却被韦皇后毒死。韦皇后想要效仿婆婆武则天，虽有心，却无力，李隆基趁机发动政变，诛杀了韦皇后及其党羽，再度将父亲李旦送上了皇位。李旦自然投桃报李，破例将李隆基立为太子。

正因如此，玄宗皇帝表面上竭力营造兄友弟恭的景象，暗地里却对兄弟们严加防范，颁布了一系列约束诸王言行的诏令，使得他们不敢随意交结群臣，以防再度发生宫廷政变。王维出仕为官前不仅是岐王李范的座上宾，还是薛王李业的堂下客，他与藩王们走得如此之近，自然使得玄宗皇帝颇为不悦。如今又逢“舞黄狮子事件”发生，玄宗皇帝自然会对犯了政治大忌的王维痛下狠手，也算是以儆效尤。

王维初入仕途便遭遇当头一棒，还被当朝皇帝列入了黑名单，可谓前途堪忧。

在萧瑟的秋风中，王维黯然神伤地离开长安，前往济州赴任。他远行的步履中多了几分沧桑与疲惫，曾经苦苦追逐的理想似乎正在一步步离他远去。

王维到任后约四年，裴耀卿出任济州刺史。他以童子举入仕，不仅自己有才，还惜才爱才，对王维这位胸怀锦绣却又怀才不遇的下属也很是照顾。王维在济州的日子虽过得并不称心如意，却也还算舒心。

等到任期届满，王维改任新职，却屡受排挤打压，很快便辞官而去。在此后多年里，他过着潇洒不羁的生活，时而隐居淇上，时而闲居长安，时而奔赴洛阳，时而隐居嵩山，彻底远离了官场，也远离了政治上的是是非非。

嵩山是禅宗的发祥地，禅宗祖师菩提达摩曾在嵩山少林寺面壁十年，因此慕名前来之人络绎不绝。王维也怀着憧憬之心来嵩山参悟禅道，还时常与山中僧人切磋禅道，这段独特的经历也渐渐将他塑造成大唐独一无二的“诗佛”。

隐居期间，一向与王维感情极好的妻子不幸去世。王维此生再也未曾续娶，自觉独留在这世间愈加孤苦。

王维虽与陶渊明同样崇尚恬静的田园生活，却又不似陶渊明那般不为五斗米折腰。陶渊明将文人风骨展现得淋漓尽致，也将家眷带入极度清苦的境地之中。但王维始终顾念着家人，他曾在《偶然作六首》中吐露心迹：“小妹日成长，兄弟未有娶。家贫禄既薄，储蓄非有素。”所以他“几回欲奋飞，踟蹰复相顾”。

王维意识到生活不止有诗与远方的田野，还有眼前的苟且，他曾经为了纯粹的理想而生，如今却为了能让家人过上好日子而活。

开元二十二年（公元 734 年）秋，王维心中隐隐起了些许波澜。此时的他隐居在幽静的嵩山之中，可心却早已飞往喧嚣的东都洛阳，渴求着复出的机会。

玄宗皇帝很喜欢生活在洛阳这座陪都里，在他长达约44年的执政生涯中，他曾先后五次来到洛阳，累计停留时间长达五年之久。也就是说，他有近八分之一的执政时间都是在洛阳度过的。

这年春天，玄宗皇帝再度来到洛阳，居然连续住了978天之久！这是他在洛阳住得最久的一次，也是他最后一次来洛阳。

王维决意抓住这个千载难逢的良机重回政坛，于是他给当朝宰相张九龄送去自己最为得意的诗作。此时，他昔日的长官裴耀卿也成了大唐宰相，不过地位要稍低于张九龄。

张九龄早就对王维这个大才子有所耳闻，对于他的遭遇也颇为同情，于是在玄宗皇帝面前竭力举荐王维。此时的玄宗皇帝已然渐渐淡忘了之前那些不愉快的往事，决意给王维一个机会。

次年的一个普通清晨，王维深情地凝视着巍峨的嵩山。多年的隐居生活即将结束。他接受了朝廷任命，出任右拾遗，带着无限憧憬向着洛阳疾驰而去。

就在王维以为自己此番可以大有作为之际，政坛却悄然完成了洗牌，张九龄、裴耀卿被同时罢免宰相职务，口蜜腹剑的奸相李林甫逐渐掌控了政局，开元盛世也渐渐演变为天宝危机。

王维并没有忘记自己的恩人张九龄，特地为他写下了《寄荆州张丞相》：

所思竟何在，怅望深荆门。

举世无相识，终身思旧恩。

方将与农圃，艺植老丘园。

目尽南飞雁，何由寄一言。

开元二十五年（737 年）春，名将崔希逸大破吐蕃军。玄宗皇帝命监察御史王维出使凉州，出塞宣慰，察访军情，等到出使结束后便留在那里担任河西节度使判官。

王维被塞外奇特壮丽的风光深深震撼，于是便写下了此生气势最为恢宏的《使至塞上》诗：

单车欲问边，属国过居延。

征蓬出汉塞，归雁入胡天。

大漠孤烟直，长河落日圆。

萧关逢候骑，都护在燕然。

不过王维并未在遥远而又荒凉的边塞待很长时间，很快便迎来了回朝的机会，继续担任监察御史，后升任库部员外郎。此时的王维对长安总会生出一种莫名的离别之情。在送别好友元二时，王维曾写道：

渭城朝雨浥轻尘，客舍青青柳色新。

劝君更尽一杯酒，西出阳关无故人。

从长安西去的官道上，平日里车马交驰，尘土飞扬，如今却朝雨乍停，天气清朗，道路洁净，客舍青青，杨柳青翠，好友元二即将西出阳关，前往安西都护府的治所龟兹（今新疆库车）。在长途跋涉中，他将备尝独行穷荒的艰辛与寂寞。好友王维劝他再喝一杯送别酒，出了阳关便难以寻见相熟之人，唯有苍茫的大漠、无尽的旅程，还有无边的孤独！

王维此番送别的是自己的好友，他却隐隐觉得或许下一个便是他自己。此时他并不知道，等到他被排挤出朝，自己将对边塞产生更深刻、更直观的认识。

也是在这段时期，好友苑咸主动找到王维，想要将他举荐给当朝宰相李林甫。苑咸擅长撰写公文，被大书法家颜真卿赞为“唐人推咸为文诰之最”。苑咸之所以能在朝中崭露头角，也得益于张九龄的举荐，可如今他却与李林甫走得越来越近。

不过苑咸的好意却被王维委婉地拒绝了，王维还为此专门写了一首《重酬苑郎中》：

何幸含香奉至尊，多惭未报主人恩。

草木尽能酬雨露，荣枯安敢问乾坤。

仙郎有意怜同舍，丞相无私断扫门。

扬子解嘲徒自遣，冯唐已老复何论。

“丞相无私断扫门”表面上是在称颂宰相李林甫的大公无私，实际上是不想与之同流合污。王维还引用了“扬雄解嘲”与“冯唐易老”的典故。世人嘲笑西汉文学大家扬雄因沉溺于玄学而迟迟未能升官，扬雄遂作《解嘲》表明心迹。冯唐身历三朝，直到汉武帝时才被举荐为贤良，不过却因年事已高而不能为官，后人纷纷感慨他生不逢时。王维将自己比作扬雄与冯唐，表明自己如今已然对仕途升迁看得很淡，只求心安而已。

在从边塞回朝后的这段时间里，王维在朝中的升迁速度虽不算快，也称得上稳扎稳打。不过，王维的母亲却在天宝九载（公元 750 年）突然去世，他只得回家丁忧。天宝十一载（公元 752 年）三月初，守丧期满的王维被任命为吏部郎中，三年后又升任给事中。

此时的王维终于迎来了职业生涯的黄金时期，愈加锦绣的前程似乎触手可及！

给事中与中书舍人虽只是五品官，却是跻身宰相之列的重要跳板。在中晚唐，身居给事中、中书舍人的官员有时甚至会被直接任命为宰相，不过大多数情形下是先提拔为门下侍郎、中书侍郎或六部侍郎后再被任命为宰相。虽然玄宗皇帝在位时，只有升任门下、中书两省长官侍中、中书令才会拜相，但王维距离宰相之位已然越来越近了！

王维在从政之余，还钻研诗书音画，参禅悟理。

空山新雨后，天气晚来秋。

明月松间照，清泉石上流。

竹喧归浣女，莲动下渔舟。

随意春芳歇，王孙自可留。

这首《山居秋暝》是王维所作田园诗中最为清新秀丽的。新雨过后，山谷之中，空旷而又清新，明月映照在幽静的松林间，清澈的泉水在山石上淙淙流淌。竹林中的少女喧笑着洗衣归来，莲叶轻摇，轻舟漂荡，宛若一幅清新秀丽的山水画，又好似一首恬静优美的抒情曲。

红豆生南国，

春来发几枝。

愿君多采撷，

此物最相思。

产于南方的红豆鲜红浑圆，晶莹如珊瑚。就是这颗小小的红豆，却寄托着无尽的相思，用来怀念自己的爱人、自己的家人、自己的朋友！

很多人认为王维的这首《相思》是一首爱情诗，但另有一种说法，称它是一首友情诗，因为它还有另外一个名字《江上赠李龟年》。李龟年是盛唐时期首屈一指的大音乐家，同样喜好音乐的王维与他成为知音。安史之乱后，曾在长安名噪一时的李龟年被迫流落到了江南。杜甫也曾写过一首《江南逢李龟年》，诗中有“正是江南好风景，落花时节又逢君”这样的名句。

李龟年时常会唱起王维的这首《相思》，有一次他唱完之后，满座宾朋都不约而同地遥望着玄宗皇帝避难的四川地区潸然泪下。他们思念的不仅仅是一个人，一座城，还有一个时代，不过他们所念念不忘的那个盛世如今已被安禄山统率的叛军无情地践踏，王维的命运也随之急转直下。

天宝十四载（公元 755 年）十月，玄宗皇帝像往常一样带着杨贵妃前往骊山避寒，在温暖的泉水中享受着最后的幸福时光。但曲终人散之际，一切都将发生改变，“渔阳鼙鼓动地来，惊破霓裳羽衣曲”。

潼关失守，长安告急，玄宗皇帝仓皇出逃，来不及逃走的王维被叛军俘获。王维不愿委身于叛军之中，怎奈名气实在太大，又在朝中身居要职，安禄山派人将他押往洛阳，拘押在菩提寺中，强行委任他为给事中，这也成为他一生之中最大的污点。

至德二载（公元 757 年）秋，唐军相继收复了长安与洛阳，王维与其他被叛军俘虏的官员均被逮捕治罪。王维按律当死，就在他性命岌岌可危之际，一首诗却意外救了他一命。

玄宗皇帝喜好音律，于是便在宫中梨园供养了一批技艺精湛的乐工，其中很多人都被安禄山掳掠到了洛阳。安禄山带着胜利者的高傲命他们为自己奏乐助兴，凤箫龙笛、羯鼓琵琶演奏的悦耳乐声相继响起，可他却忽然听到了阵阵哭声。

安禄山听曲的兴致顿时便被哭声所搅扰，他赶忙循声望去，见很多乐工的脸上居然都挂着泪痕，乐工雷海青更是怀抱琵琶，俯首大哭。

安禄山见状不禁破口大骂，雷海青不仅毫无惧色，还将手中的琵琶向他狠狠地掷去。安禄山赶忙躲闪才未被琵琶砸中，他身边的侍卫们一拥而上，顿时便将雷海青剁为肉泥。

此时王维被关押在菩提寺中，通过裴迪之口得知了雷海青血溅凝碧池之事，激愤之下作了一首《凝碧池》：

万户伤心生野烟，

百僚何日更朝天。

秋槐叶落空宫里，

凝碧池头奏管弦。

王维吟完之后，随即便将此诗写在纸上，不过当时它还没有“凝碧池”这般典雅的名字，而是叫“菩提寺禁裴迪来相看说逆贼等凝碧池上作音乐供奉人等举声便一时泪下私成口号诵示裴迪”。王维通过寺中僧人将此诗秘密交给了裴迪，此诗日后居然成了他的救命诗。

眼见王维如今命悬一线，裴迪与菩提寺的僧人们出面做证，称身陷囹圄的王维始终忠诚于朝廷，还特地出示了他所作的那首《凝碧池》，其中那句“百僚何日更朝天”可谓是身陷敌营的王维真实心迹的写照。

王维之所以能逃过一劫，除了那首诗，还因为他有个好弟弟。王维共有兄妹六人，他是家中长子，下面还有四个弟弟和一个妹妹。他年纪最大的弟弟王缙曾任太原少尹，颇有谋略，曾协助中兴名将李光弼取得太原保卫战的胜利，为朝廷立下大功，如今升为刑部侍郎。王缙听闻兄长性命堪忧，赶忙给朝廷上表，自请免官来为兄长赎罪。

朝廷最终赦免了王维之罪，只是将他降为太子中允，不过他的弟弟王缙却被贬为蜀州刺史。

上元元年（公元 760 年）夏，王维升任尚书右丞，这也是他一生所任官职中品级最高的，也是他担任的最后一个职务，世人时常称其为“王右丞”。

尚书省的长官尚书令被废除后，副长官尚书左、右仆射开始实际主持省内工作，不过后来也都沦为虚职，改由尚书左丞、尚书右丞实际负责尚书省内事务。若单纯论品级，尚书左丞、尚书右丞要低于六部尚书，不过因处于权力中枢地位，六部呈送的文书需要它们签转，其重要性不言而喻。

上元二年（公元 761 年）春，六十一岁的王维向朝廷呈送《责躬荐弟表》，称自己忠不如弟，政不如弟，义不如弟，才不如弟，德不如弟，恳请朝廷削去自己的官职，也好让弟弟王缙能够早日回朝，可见兄弟间的情谊是何等深厚！

弟弟王缙如愿回朝，哥哥王维却因重病永远地离开了这个世界。其实从他被俘的那日起，他便已然死去了，留在世间的不过是一具躯壳而已！

王缙的身上寄托着哥哥王维一生都没能实现的政治理想，他也的确没有辜负哥哥的期望，曾经两度出任宰相。不过此时的大唐已然处于风雨飘摇之中，王缙即便身居宰相之位也未能有什么大的作为。

夕阳西下几时回，无可奈何花落去，这不是一个人的悲歌，而是一个时代的挽歌！

入仕无门心却淡然——孟浩然

春眠不觉晓，

处处闻啼鸟。

夜来风雨声，

花落知多少。

这首《春晓》是孟浩然隐居鹿门山时所作。一个春日的清晨，他从梦中缓缓醒来，春睡的香甜让他还有些迷糊与留恋，但悦耳的鸟鸣声却让他欣喜不已。不过他很快便从喜春变为惜春：春日短暂，光阴易逝，要珍惜当下的美好。这首诗言虽浅，意却浓，景美情真，自然天成。

《春晓》与骆宾王的《咏鹅》、李白的《静夜思》以及白居易的《赋得古原草送别》可谓流传最广的唐诗，也是很多人的启蒙诗。

永昌元年（公元 689 年），孟浩然出生于襄州一个颇为富裕的书香之家。由于祖上给他留下了不少家产，所以他虽然一生都未曾出仕为官，却依旧可以潇潇洒洒地走完一生。

景龙二年（公元 708 年），二十岁的孟浩然来到了襄州城外东南十五公里处的鹿门山。鹿门山与周围诸山相互辉映，狮子山秀，香炉山幽，霸王山雄，鹿门山峭，女娲山旷。孟浩然置身其间，便犹如徜徉在林木茂密、野花飘香、云雾缭绕的仙境之中。

孟浩然深深爱上了这里，以至于后来与好友张子容一同隐居在鹿门山中，拒绝繁华世界的诱惑，享受清贫生活的快乐。

不过张子容来这里却是为了刻苦攻读，渴望着有朝一日能够走出这里，登上更大的舞台！

先天元年（公元 712 年）冬，张子容离开鹿门山，准备前去参加进士科考试。孟浩然虽心生不舍，却也不便阻止好友奔向光明的前程，只得怀着失落的心情为他写下了《送张子容进士赴举》：

夕曛山照灭，送客出柴门。

惆怅野中别，殷勤歧路言。

茂林予偃息，乔木尔飞翻。

无使谷风诮，须令友道存。

张子容走后，孟浩然觉得独自置身于空旷的鹿门山中是如此寂寥，于是也离开了隐居两年之久的鹿门山。此后的多年里，他辞亲远行，广交天下朋友，拜谒公卿名流，想要用自己的才华来赢得更大的名声，争取早日入朝为官，却始终未能如愿。

开元十二年（公元 724 年），三十六岁的孟浩然迎来了一次难得的入仕机会。

襄州刺史韩思复与襄阳县县令卢僎这两位父母官均是孟浩然的忘年交，两人同时向朝廷举荐孟浩然。古稀之年的韩思复在朝中颇有威望，曾担任过吏部侍郎，专门负责官员选拔工作，他的举荐也使孟浩然看到了一丝曙光。

玄宗皇帝于当年冬天移驾东都洛阳，连续住了 344 天。孟浩然索性便住在洛阳城中，为了能出仕为官而积极奔走。可就在这个关键时刻，年事已高的韩思复却突然病逝。孟浩然在洛阳苦苦煎熬两年之久，入仕的梦终究还是破碎了。

心情极度失落的孟浩然踏上了疗伤之旅。开元十三年（公元 725 年）的除夕夜，他是与好友张子容一同度过的。自从十三年前一别，两人虽不时有书信来往，却始终未曾相见。

张子容进士及第后其实过得并不如意，长期困顿于小小的乐城县，还被从县令贬为县尉。曾经豪气干云的他，如今却蹉跎于官场。

听闻好友将至，喜出望外的张子容迎出七十里，在上浦馆为孟浩然接风洗尘。随后两人同游江中孤屿，孟浩然激动地写下“乡园万余里，失路一相悲”。两个同病相怜之人一起抱团取暖，仿佛又回到了熟悉的鹿门山，不禁再度吟诵起那首《夜归鹿门山歌》：

山寺钟鸣昼已昏，渔梁渡头争渡喧。

人随沙岸向江村，余亦乘舟归鹿门。

鹿门月照开烟树，忽到庞公栖隐处。

岩扉松径长寂寥，唯有幽人夜来去。

返程途中，孟浩然结识了同样追求自由洒脱的李白，两人携手出游，把酒言欢，吟诗作赋。孟浩然玩到囊中羞涩才依依不舍地踏上了回家的路，同时也思索着未来的路究竟该如何走。

虽然在求官之路上屡屡碰壁，孟浩然却并未就此彻底灰心丧气。开元十六年（公元728年）初春，四十岁的孟浩然踏入科考考场，这是他第一次，也将是最后一次参加科考。

就在前一年，他的好友王昌龄刚刚进士及第，孟浩然希望自己也能如他那般出人头地，于是怀着激动的心情写下了《长安早春》：

关戍惟东井，城池起北辰。

咸歌太平日，共乐建寅春。

雪尽青山树，冰开黑水滨。

草迎金埒马，花伴玉楼人。

鸿渐看无数，莺歌听欲频。

何当桂枝擢，归及柳条新。

然而，高中之人终究是极少数，孟浩然虽满腹才学，却还是遗憾地落榜了。不过他却意气风发地来到大唐最高学府国子监赋诗，满座叹服，名动公卿，使得长安这座城市深深地记住了孟浩然这个名字。

孟浩然此番前来长安，还结识了一生的挚友王维，以至于后世将两人并称为“王孟”。此时的王维还未曾发迹，正在长安大荐福寺中追随道光禅师学禅。孟浩然虽比王维大十多岁，但两人之间并无代沟，志趣相投，情谊相合，一个生性洒脱，一个率性而为，既爱慕田园生活，又渴望出仕为官，时常在一起畅谈诗词歌赋，共诉远大理想。

分别之际，依依不舍的王维怀着悲伤的心情写下了《送孟六归襄阳》：

杜门不复出，久与世情疏。

以此为良策，劝君归旧庐。

醉歌田舍酒，笑读古人书。

好是一生事，无劳献子虚。

这首送别诗中并没有虚情假意的不舍，有的只是真情流露与善意劝说。在田舍中醉酒当歌，笑读古人书，何尝不是惬意的人生？何必非要出仕为官，随遇而安便是了！

六年后，孟浩然第二次来长安，这一次他并非想要通过科举入仕，而是想依靠权贵们的荐举入仕。可他偏偏情商不高，难以博取那些大人物的赏识，只得悻悻地返回了襄阳。

孟浩然因为不会说话，还为后世留下了“转喉触讳”这个成语。那日王维待诏时，孟浩然前来拜访，两人饶有兴趣地谈起了诗词歌赋。就在此时，玄宗皇帝突然驾到，惊慌失措的孟浩然赶忙躲到了床下。

王维担心会犯下欺君之罪，只得据实禀报孟浩然如今就藏在床下。玄宗皇帝听后却并未深究此事，欣然道：“朕素闻此人！”王维闻听此言，赶忙将惶恐不安的孟浩然从床下搀扶出来。

玄宗皇帝早就听闻孟浩然才学出众，于是饶有兴趣地命他即兴赋诗一首。这可是孟浩然绝佳的表现机会，谁知却成了他永远的噩梦。他想起多年来入仕无门的不幸遭遇，吟诵道：“北阙休上书，南山归敝庐；不才明主弃，多病故人疏。”玄宗皇帝听后脸色顿时一沉，不悦道：“朕未曾弃过人，定然是你不求上进，为何还要归咎于朕？”

“转喉触讳”的故事还有另外三个版本，但情节大同小异，结果都是孟浩然因出言不逊而触怒了玄宗皇帝，最终导致他终身都无法入仕。

时间转眼来到了开元二十三年（公元 735 年），襄州刺史韩朝宗邀请孟浩然参加饮宴，流露出想要向朝廷举荐他的意思。

不过此时的孟浩然已然对入仕为官有些心灰意冷了，他并未赴韩朝宗之约，又开始了说走就走的旅行。李白此时正寓居在湖北安陆，两人相会于黄鹤楼，玩得不亦乐乎。但快乐的相聚时光总是短暂的，临别之际，李白满怀悲伤地写下了《黄鹤楼送孟浩然之广陵》：

故人西辞黄鹤楼，

烟花三月下扬州。

孤帆远影碧空尽，

唯见长江天际流。

李白痴痴地站立在江边，目送着孟浩然乘坐的船只渐渐远去，眼前只剩下碧蓝的天空和奔流的长江，却迟迟不肯离去。

放达不羁的李白自诩风流，但孟浩然却比他有过之而无不及，儒雅中透着飘逸之气。正因如此，孟浩然成为李白此生“最爱”的男人。李白曾在《赠孟浩然》中写道：

吾爱孟夫子，风流天下闻。

红颜弃轩冕，白首卧松云。

醉月频中圣，迷花不事君。

高山安可仰，徒此揖清芬。

开元二十五年（公元 737 年），张九龄被贬为荆州大都督府长史，孟浩然被他召为幕僚，不过却是以白衣身份效力，既无出身，也无官职。白衣入幕最终位至显官的虽然也不乏其人，不过此时的张九龄却早已不是位高权重的宰相了，在奸相李林甫的频频打压之下，自身尚且难保，无心也无力举荐孟浩然当上官。

或许是过惯了自由自在的日子，或许是受不得官场上的种种束缚，抑或是觉得在张九龄麾下效力毫无前途可言，孟浩然很快便离开了。尽管这段任职经历并不长，却也成为他此生唯一的一次工作经历。

开元二十六年（公元 738 年）夏，五十岁的孟浩然突患背疽，后背长了一个大大的毒疮，只得返回家乡襄阳休养。

几经名医救治，孟浩然的病情才有所好转，名医叮嘱他千万不能饮酒。他养了两年的病，戒了两年的酒，病情已然大为好转，可最终却是前功尽弃。

开元二十八年（公元 740 年），谪至岭南的王昌龄遇到朝廷大赦，北返途中特地来襄阳探望老友孟浩然。见王昌龄千里跋涉而来看望自己，孟浩然自然是欣喜万分，于是两人开怀畅饮，把酒言欢。不知不觉，孟浩然便喝多了，以至于旧病复发，很快便一命呜呼了，真可谓是“死了都要喝”！

孟浩然不仅是李白此生“最爱”的男人，也是“为王昌龄而死”的人。他生在盛唐，早年有为官济世之志，却终其一生都未能如愿，虽失望至极，却依旧恪守本心，不媚世俗，修道归隐，谁知却因一顿接风酒而早早地离开了这个世界，生命永远定格在五十二岁，令人唏嘘不已！

出走半生，归来却是穷困潦倒——韦应物

人的一生总要经历各种磨难，只有历尽沧桑才会真正懂得人生的真谛。韦应物出生于盛唐，但成年后面对的却是山河动荡的残破景象。在经历了一次又一次的打击之后，他也完成了一次又一次的蜕变，从坊间浪子变成文学大咖，成功地实现了华丽的转身与人生的逆袭。

韦应物出身于名门望族京兆韦氏，曾祖父韦待价为睿宗朝宰相，祖父韦令仪为宗正少卿，不过父亲韦銮的官当得并不大，仅是个宣州司法参军。韦应物自幼便在优渥的家境之中长大，最后成为一个典型的纨绔子弟。

年少的韦应物之所以会心甘情愿地选择“躺平”，是因为他可以“拼祖宗”。他十五岁时便凭借门荫入仕，成为羽林军仓曹参军事。羽林军为天子禁军，他可以出入宫闱，扈从游幸，让同龄人艳羡不已。

那时的韦应物嚣张跋扈，目无法纪，一会儿玩樗蒲赌博，一会儿偷窥美女，一会儿又喝得酩酊大醉。由于他是天子的身边人，官府对于他所做的那些枉法之事往往是睁一只眼闭一只眼。他很享受那段无拘无束而又任性妄为的日子，多年以后仍在怀念：

少事武皇帝，无赖恃恩私。

身作里中横，家藏亡命儿。

朝持樗蒲局，暮窃东邻姬。

司隶不敢捕，立在白玉墀。

骊山风雪夜，长杨羽猎时。

一字都不识，饮酒肆顽痴。

……

韦应物说当时“一字都不识”未免有些夸张，但不学无术却是真的。他不学习仍旧可以过上自己想要的生活，又岂会发愤苦读呢？不过，骤然而至的叛乱却将他惬意的生活击得粉碎。

公元756年六月十三日凌晨，长安还没有从沉睡中彻底苏醒过来。蒙蒙细雨犹如颗颗泪珠滚落在即将遭受前所未有浩劫的长安城。

玄宗皇帝李隆基带着杨贵妃姐妹、皇室成员、朝廷高官及贴身的宦官宫女悄悄从延秋门踏上了逃亡之路。车队急匆匆驶过延秋门，玄宗皇帝与杨贵妃不曾想到，这座曾经见证过汉代兴衰、南北乱世的城门将会成为他们命运的转折点：一个再也回不来；一个人虽然回来了，心却永远地留在了马嵬驿！

花溅泪，雨纷飞，雨中的湖畔长亭再也没有了昔日的灵动，迷雾重重的烟柳夹堤再也没有了往日的生机，曾经的翠绿，曾经的嫣红，曾经的蔚蓝，如今全都变得灰蒙蒙一片。

当天，准备入朝奏事的官员仍旧恭立在宫门口，静静等待着皇帝的召见。韦应物也如往日那般肃立在宫门口，仿佛玄宗皇帝仍在皇宫之中。不过随着宫门缓缓打开，他却惊奇地发现，皇宫内居然早就乱作一团，惊慌失措的宦官宫女们乱糟糟地向着宫门方向狂奔而来。

长安城中顿时陷入了权力真空，不计其数的王公贵族和普通百姓四散奔逃。不过也有胆大妄为之人趁乱进入皇家宫殿和王公府邸盗取金银财宝，甚至骑着驴徜徉在昔日威严的宫殿内。

在混乱不堪的长安，韦应物忽然发觉自己这个禁军小官竟如同草芥一般，不仅失了业，还随时会有性命之忧。此时的韦应物只有十九岁，曾经盛气凌人的他如今却沦为任人欺凌的对象。

不过在这场生灵涂炭的叛乱中，他能够顽强地活下来已属不易。在死亡面前，所有的挫折与苦难都显得那么微不足道。

在大唐混乱不堪之时，在韦应物最孤独无助之际，他却遇到了此生最重要的女人元苹。那场突如其来的动乱彻底改变了他的命运，而骤然走入他生活之中的元苹则深深地影响了他的人生。

元苹比韦应物小三岁，温柔贤惠而又饱读诗书，让茫然不知所措的韦应物渐渐看清了未来的路。少时的放纵，因她而止；之后的新生，因她而始。自从两人成亲的那一刻起，韦应物便不再是曾经那个我行我素的懵懂少年，他决意通过科考来改变自己和整个家庭的命运。

曾经那个仗势欺人的纨绔子弟勇敢地浪子回头，变得清心寡欲，读书占据了他生活中的绝大部分时间。虽然未能实现金榜题名的夙愿，他仍通过读书提升了自己，也就此开始了人生的逆袭。

广德元年（公元 763 年）秋冬之际，安史之乱终于落下了帷幕。韦应物此前便已重入官场，先任高陵县县尉，后任试大理评事、河阳从事，如今已经转任洛阳县县丞，两年后又改任河南府兵曹参军。由于一直在洛阳任职，他便将家安在了洛阳。

刚正不阿的韦应物因惩办不法军士而无端遭受弹劾，一怒之下弃官而走，闲居在洛阳同德寺之中。

孤寂憋屈的韦应物后来从洛阳返回长安，出任京兆府功曹参军。这些年，妻子元苹一直追随他东奔西走，始终无怨无悔。可惜，虽然元苹与他携手走过了贬官、罢任等种种坎坷，最终却没能与他白首同归。

大历十一年（公元 776 年）九月，韦应物此生的挚爱元苹溘然长逝，年仅三十七岁。悲痛欲绝的韦应物亲手为亡妻撰写墓志铭："昧然其安，忽焉祸至，方将携手以偕老，不知中路之云诀。"即便是千年前的文字，每每读起仍会觉得声声泪，字字血。

此时此刻，韦应物对自己的爱妻有悲痛，还有怀念；有自责，还有愧疚。他悼念亡妻的诗作仅仅传世的便有十九首之多。清人乔亿曾说："古今悼亡之作，惟韦公应物十数篇，澹缓凄楚，真切动人，不必语语沉痛，而幽忧郁堙之气，直灌输其中。"

不管韦应物如何怀念，如何不舍，今后的路都只能独自去走。

此后他先后出任鄠县县令、栎阳县令，虽辗转各地任职，却从未疏忽过对子女的关爱。由于妻子早逝，他对子女倾注了太多太多的心血。

父爱有时深重如山，有时却细腻如水。大女儿成年后，韦应物将她许配给大理寺评事杨凌。大女儿即将出嫁之际，他既兴奋激动，又担忧不舍，还有些焦虑不安，满腹伤感，于是写下了每每读起都会令人潸然泪下的《送杨氏女》：

永日方戚戚，出行复悠悠。

女子今有行，大江溯轻舟。

尔辈苦无恃，抚念益慈柔。

幼为长所育，两别泣不休。

对此结中肠，义往难复留。

自小阙内训，事姑贻我忧。

赖兹托令门，任恤庶无尤。

贫俭诚所尚，资从岂待周。

孝恭遵妇道，容止顺其猷。

别离在今晨，见尔当何秋。

居闲始自遣，临感忽难收。

归来视幼女，零泪缘缨流。

即便再依依不舍，父女间也终有一别，此次分别之后，却不知何年何月，亦不知此生还能否再相见。

韦应物曾暗暗告诫自己一定要微笑着送女儿嫁人，可真到了临别之际，却依然泪湿双眸。

等到大女儿走后，韦应物看着那人去屋空的闺房，凝望着身旁的小女儿，相顾无言，唯有泪千行。生而不易，这人世间的生离死别谁能轻易接受得了，谁又能抗拒得了呢？

韦应物回朝担任比部员外郎，就在仕途刚刚有所起色之际，却又于建中四年（公元 783 年）夏被外放为滁州刺史。虽然他在滁州任职仅有一年多的时间，却留下了田园诗歌的标杆之作《滁州西涧》：

独怜幽草涧边生，上有黄鹂深树鸣。

春潮带雨晚来急，野渡无人舟自横。

山涧小草在幽静处默默生长，黄鹂在丛林深处啾啾鸣叫。傍晚时分的风雨使得静静流淌的溪水变得愈加湍急，此时此刻野外渡口已然没有了渡河之人，只有一条小船静静横卧在河中，幽草、黄鹂、春潮、暮雨、野渡、小舟构成了一幅宁静淡泊、超然世外的独特诗境。

滁州美景虽令韦应物流连忘返，但仕途的失意与时局的动荡却在他的心中投下了深深的阴影。幽草自生，黄鹂独鸣，春潮急涨，孤舟自横，谁又能承受得了这份凄凉与寂寞？但自生、自鸣、自来、自横却都是顺天而生，率性以行，一切仿佛是那么自然而令人无法抗拒。

在历经仕途失意与人生挫折之后，韦应物依旧能够平静地面对人生，时常会悠然自得地邀约友人，煮茶温酒，寄情山水，悠然忘我，得失随缘，宠辱不惊。好似无事在身，实则有事在心，在表面洒脱的背后，却藏着他深深的无奈与无力。

虽被贬谪外地，他却依旧想念着曾经的美好，牵挂着远方的好友，便在《寄李儋元锡》中深情款款地写道：

去年花里逢君别，今日花开又一年。

世事茫茫难自料，春愁黯黯独成眠。

身多疾病思田里，邑有流亡愧俸钱。

闻道欲来相问讯，西楼望月几回圆。

这首诗是韦应物写给远在长安的好友李儋与元锡的，诗中带着无限的伤感。他在追忆，去年花开时节，两人黯然分别，如今花又盛开，却依旧是前途渺茫，世事难料。想着想着，孤寂的韦应物居然难以成眠，他不知几时才能与好友相见。

虽然韦应物渐渐成为“邦有道则仕，邦无道则隐”的官场隐者，但他的内心深处并非如表面那般平静。在写给外甥卢陟的诗中，他也曾吐露过自己真实的心迹：

可怜白雪曲，未遇知音人。

恓惶戎旅下，蹉跎淮海滨。

涧树含朝雨，山鸟哢余春。

我有一瓢酒，可以慰风尘。

韦应物也曾想过要寻找赏识自己的知音，也曾因寻不到而落寞过。如今他虽只需一瓢酒便可聊以自慰，但心底的伤痕永远都无法痊愈，只能暗自忍受，毕竟活着就要承受残酷的生活带来的一切！

正因心里还藏有梦想，韦应物离职赋闲了一段时间后又出任江州刺史。不过随着年岁越来越大，他也愈加思念长安，想念亡妻，怀念过去。

他曾满是悲凉地写道：

……

荏苒斑鬓及，梦寝婚宦初。

不觉平生事，咄嗟二纪余。

存殁阔已永，悲多欢自疏。

高秩非为美，阑干泪盈裾。

贞元三年（公元787年），韦应物被封为扶风县男，随后入朝担任左司郎中。时隔四年后，他终于又回到了朝思暮想的长安。但他只是长安城中一个匆匆的过客，因为仅仅一年后，他便再度被外放为苏州刺史。

富庶的苏州一直是文化昌盛之地，韦应物到任后时常以文会友，广邀天下名士前来苏州吟诗作赋，也结交了不少文人雅士。

孟郊便是其中之一，他的家乡湖州武康与苏州相隔并不远。孟郊曾专程应邀前来苏州。此时的他已经三十八岁了，却仍旧蹉跎于漫漫科考路上，尚无一官半职。孟郊对韦应物这位诗坛前辈极为尊崇，称赞道：

太守不韵俗，诸生皆变风。

郡斋敞西清，楚瑟惊南鸿。

丘丹是韦应物在苏州最要好的朋友，两人之间频频赠诗，其中最经典的莫过于《秋夜寄丘二十二员外》：

怀君属秋夜，散步咏凉天。

山空松子落，幽人应未眠。

在寂静无人的秋夜，即便是松子落下的声音都清晰可辨。韦应物在空寂的山间散着步，想着远方的挚友丘丹，预感到今夜或许又将是一个不眠之夜。

日后蜚声诗坛的白居易也在韦应物邀请之列。此时的他还不到二十岁，在声名远播的前辈们面前，只是个寂寂无闻的后辈，时常静静躲在角落里倾听，心底里却不甘心永远只是一个旁观者。

白居易利用这次难得的机会向文坛老前辈顾况虚心求教。顾况是韦应物的好友，不过比他还要年长些，虽然官并没有他当得那么大，但在诗坛的名望却丝毫不逊于他。白居易在顾况面前流露出想要在长安出人头地的意愿，但顾况却不屑地说："米价方贵，居亦弗易。"

虽然顾况并不看好眼前这个稚气未脱的年轻后生，但白居易却并未因受到此番打击而变得沮丧，反而拿出自己所写的那首至今仍被广为传颂的《赋得古原草送别》，毕恭毕敬地呈给顾况。当读到"野火烧不尽，春风吹又生"这两句时，顾况抬起头望着白居易感慨道："你能写下如此精妙的诗句，闯荡天下又有何难？老夫刚刚所言不过是戏言而已，莫要当真！莫要当真！"

白居易此后的确不负众望，三十多年后，他也机缘巧合地来到苏州担任刺史。他模仿韦应物多年前所写的《郡斋雨中与诸文士燕集》，写下了《郡斋旬假始命宴呈座客示郡寮》：

……

无轻一日醉，用犒九日勤。

微彼九日勤，何以治吾民。

微此一日醉，何以乐吾身。

……

白居易特地命人将两首诗同时刻在石头上，还为此专门写了一篇《吴郡诗石记》，怀念当年的文化盛会，凭吊已然故去的诗坛前辈。

贞元六年（公元 790 年），韦应物卸任苏州刺史，却因囊中羞涩迟迟未能启程返回长安，只得暂时寄居于苏州乡间的永定寺中。

之后，韦应物在青灯古佛前默默等待着朝廷新的任命，不过此时的他却早已是疾病缠身了，他愈加真切地预感到自己或许熬不过这漫漫冬日。

在某个寒冷的冬日，韦应物蜷缩在炉火旁，与来访的侄子辟强热络地交谈着。过了年，辟强便要娶亲了，于是专程前来苏州告诉伯父这个喜讯。韦应物听后自然是欣喜不已，写道：

子有新岁庆，独此苦寒归。

夜叩竹林寺，山行雪满衣。

深炉正燃火，空斋共掩扉。

还将一尊对，无言百事违。

韦应物热切期盼着能够参加侄儿即将到来的婚礼，还语重心长地告诫侄儿要平静地接受命运的安排——这是说给他侄儿听的，也是说给他自己听的！

可侄儿走后不久，韦应物却溘然长逝了。他终于可以与心心念念的妻子元苹团聚了！

| 延伸阅读 | 唐朝的福利分田

王维、孟浩然、韦应物对田园生活心生向往，而很少有人知道，对唐朝人来说，田地并非可望而不可即的财产。

唐朝的福利分田制度绝非官员的特权，老百姓也会被分配田地。十八岁以上的男子都有权获得1顷田，其中80亩为口分田，20亩为永业田，不过这些田却不是白得的，而要给国家上缴租赋。

官员获取的田地分为永业田和职分田，均按照职事官的品级分配。职分田制度一直延续到唐末。它与任职息息相关，一旦官员离任便会自动转给下一任。外官的职分田比京官还要多，主要是因为长安及其周边地区并没有那么多地可分，外地州县可供分配的土地相对更多些。

土地紧张时，朝廷曾多次收回长安附近的职分田，分配给没地的贫苦农民，按照每亩给付两升粟的标准对失去职分田的官员进行补偿。不过那些被收回的职分田后来又被重新分配给了官员。职分田的地租为每亩两斗到六斗，一斗等于十升，可见职分田地租收入比朝廷给的补偿多得多！

永业田不同于职分田，属于官员的私人财产。问题是现存历史文献中只有分配标准，却并未留下关于实际分配的相关记载。或许立国之初朝廷的确曾给开国功臣们分过永业田，不过却并未长期执行下去。所以，永业田不过是朝廷给官员们画的一张永远也吃不到的大饼罢了！

第四章

天下谁人不识君

——边塞诗人的边塞情

前半生仕途坎坷，后半生扶摇直上——高适

在塞外的寒风之中，在苍茫的天地之间，自觉前途莫测的高适驱马前行，在呼啸的寒风中写下了《自蓟北归》：

驱马蓟门北，北风边马哀。

苍茫远山口，豁达胡天开。

五将已深入，前军止半回。

谁怜不得意，长剑独归来。

高适自觉空有一腔热血，空握一柄长剑，却无处施展才华。此时苦闷而不得志的他绝不会想到，有朝一日自己竟会成为镇守一方的封疆大吏。

长安四年（公元 704 年），高适出生于一个官员家庭。祖父高侃是个赳赳武夫，曾任左监门卫大将军、安东都护，属于大唐高级将领。但他的父亲高崇文一生当的最大的官却只是韶州长史。

高适虽是个“官 N 代”，却并不热衷于追求功名，从二十岁开始，当了八年农民，一直过着面朝黄土背朝天的日子，日出而作，日落而息，生活过得是那样的波澜不惊。若是按照这个人生轨迹继续发展下去，高适将会成为历史上一位不为人所知的匆匆过客！

开元十九年（公元 731 年），二十八岁的高适似乎意识到了什么，于是开始试图改变。他在燕赵之地游历，并非漫无目的的闲逛，而是积极寻求入仕为官的机会。

似高适这样并无出身的白衣，最便捷的当官方式便是入幕，由疆场入朝堂。他欲入信安王李祎幕府，想在幽州节度使张守珪麾下效力，却都未能如愿。屡屡受挫的高适不禁感慨道：“直道常兼济，微才独弃捐。曳裾诚已矣，投笔尚凄然。”

高适在北地一路驰骋奔波，却始终入仕无门，即便是与好友王之涣相见的愿望都未能实现，于是失落地写道：

逢时事多谬，失路心弥折。

行矣勿重陈，怀君但愁绝。

开元二十三年（公元 735 年），高适前往长安参加科考，却遗憾落第。在此后十余年的时间里，他又过上了放浪形骸的日子，依旧是那个无拘无束的浪子！

高适在游历过程中也结识了许多挚友。天宝三载（公元 744 年）秋，高适与相见恨晚的李白、杜甫两人在梁州、宋州邂逅，一同饮酒打猎，一同吟诗酬唱。那一年，三人中最小的杜甫也已过了三十岁，可他们同样郁郁不得志。

天宝六载（公元 747 年）春，吏部尚书房琯被贬出朝廷，他的门客董庭兰也不得不离开长安。就在这年冬，浪迹天涯的高适与董庭兰这位音乐奇才邂逅于睢阳（今河南睢阳区）。曾几何时，董庭兰是名动长安的当红艺人，如今却沦为世间落寞客。

两个郁郁不得志的人彼此温暖着，但重逢之后却意味着又将离别，恋恋不舍的高适接连为他写下了两首《别董大》。

其一

千里黄云白日曛，

北风吹雁雪纷纷。

莫愁前路无知己，

天下谁人不识君。

高适的别离之情既悲壮又真挚。落日黄云，大野苍茫，大雪纷飞，北风狂吹，一只雁出没于寒云之中，虽孤独，却又勇敢。那只雁便是漂泊无着的高适，也是前途未卜的董庭兰。不过最后两句充满信心的话语却瞬间让人充满了力量！

其二

六翮飘飖私自怜，

一离京洛十余年。

丈夫贫贱应未足，

今日相逢无酒钱。

在长达十余年的漫长漂泊之中，高适最落魄时甚至连买酒的钱都没有。凄惨的人生、困顿的生活虽有时会让他感到颇为沮丧，但他从未就此沉沦，始终期待着有朝一日能够不鸣则已，一鸣惊人；不飞则已，一飞冲天！

天宝八载（公元749年），高适参加贡举有道科考试，此番因得到张九龄之弟宋州刺史张九皋的举荐而如愿高中。或许是考虑到他已然四十六岁了，他并未照例守选，而是在及第当年便被授官封丘县尉。

担任县尉是绝大多数科举及第者的出路。在县里所有有品级的官员之中，县尉级别最低，职责却又最重，既负责维持治安，又负责催征赋税，还负责指导下属各部门工作，可谓是个很辛苦的岗位。

当时政治环境正变得越来越黑暗，明哲保身与阿谀奉承的"实用主义"思潮逐渐成为官场主流，社会贫富分化日益加剧，以至于"朱门酒肉臭，路有冻死骨"。

见很多同僚在上官面前极尽阿谀奉承之能事，生性清高的高适极度反感。看到那些在温饱线甚至死亡线上苦苦挣扎的穷苦百姓，他心生怜悯，可一味发善心又难以完成上级下达的财政收入任务。他不得不陷入痛苦的挣扎之中，于是愤然写下了《封丘作》：

我本渔樵孟诸野，一生自是悠悠者。

乍可狂歌草泽中，宁堪作吏风尘下。

只言小邑无所为，公门百事皆有期。

拜迎长官心欲碎，鞭挞黎庶令人悲。

……

很多基层官员像高适那样满腔热血投身社会，屡遭打击身心疲惫；日日应酬天天喝醉，有用本事逐渐作废；收入可怜啥都嫌贵，巴结上司处处破费；青春年华如此狼狈，苟且偷生窝囊一辈。

高适还算幸运，安史之乱后，州府之上普遍设道，由节度使或者观察使来统领。担任节度使的官员往往还会兼任负责行政事务的观察使、负责财政事务的支度使、剿灭叛乱的招讨使、主管屯田事宜的营田使等大大小小十几个甚至几十个使职。节度使一人兼任那么多使职自然是忙不过来，通常会设置副使、判官、巡官、推官等僚属，由他们来负责具体工作。有时是为了工作需要，有时单纯为了刷存在感，节度使还会发文布置工作，甚至亲临检查工作。那些州县官员不得不小心陪着，谦卑地笑着，心里却在不停地骂着！

高适再也不愿过这种噩梦般的日子了，仅仅干了三年便辞官而去，前往长安等地游历。像他这样容易冲动的“愤青”原本很难登上高位，可他日后却有些出人意料地飞黄腾达了，这是因为他跟对了人。在不同的人手下做事往往会有天壤之别，而这个彻底改变他命运的人，正是与他同样怀揣“游侠梦”的名将哥舒翰。

哥舒翰出身于名门望族，父亲哥舒道元是突厥别部突骑施哥舒部酋长，归顺大唐后任安西副都护；母亲是西域于阗国公主。哥舒翰的前半生比青年时的韦应物还不靠谱，整天跟一帮朋友喝酒赌博，游戏人生，是一个典型的“啃老族”。

不过父亲的突然离世却使哥舒翰醉生梦死的生活戛然而止。在为父亲守孝期间，他开始深刻反思自己浑浑噩噩的前半生。守孝期满，朝廷感念他父亲的功绩，准备任命他为长安县县尉。这对初入仕途的人而言无疑是个令人艳羡的美差，可哥舒翰却对这个从八品下阶的官职并不感冒，反而认为这是对自己能力的一种侮辱，愤然离开繁华的长安，前往茫茫的西北戈壁。

哥舒翰在一代名将王忠嗣的提携之下迅速成长起来，位至陇右、河西节度使。高适虽是个文人，却继承了祖父高侃尚武的基因，有着武将的豪气与胆略。他与生性豪爽的哥舒翰意气相投，成为哥舒翰麾下掌书记。

天宝十四载（公元 755 年）二月，此时距离安史之乱爆发还剩几个月的时间。哥舒翰拖着早就亮起红灯的身体入京面圣，途中，舟车劳顿的他痛痛快快地洗了一个热水澡，却突患中风，昏迷不醒，苏醒后落下了半身不遂的后遗症。

有人不该死而死是一种不幸，有人该死却没有死则是更大的不幸，哥舒翰便是如此。侥幸活下来既是他个人的悲剧，更是大唐的悲剧！

安史之乱爆发后，军事失利接踵而至。怒不可遏的玄宗皇帝不问青红皂白便斩杀了封常清、高仙芝这两员骁勇善战的名将，事后不得不面临无人可用的尴尬境地。

长安的门户潼关此时有二十余万军队戍守，主力是从河西、陇右两镇征调而来的镇兵以及生活在河西、陇右地区的奴刺、颉、跌、朱耶、契苾等十三个部落的蕃兵。身为河西、陇右节度使的哥舒翰此时虽已成为一个废人，却因在河西、陇右两镇拥有崇高威望而被玄宗皇帝任命为太子先锋兵马元帅镇守潼关。

作为哥舒翰麾下的重要幕僚，高适得以入朝担任左拾遗（从八品上阶），后升任监察御史（正八品下阶）。高适虽只是个八品官，却因是常参官而成了朝堂上的常客，玄宗皇帝对他也渐渐有了些许印象，这为他日后的发迹奠定了基础。

由于战场形势逐渐好转，又被假情报所迷惑，玄宗皇帝强令哥舒翰出兵收复东都洛阳，最终导致潼关失守，长安岌岌可危。

天宝十五载（公元 756 年）六月十三凌晨，在蒙蒙细雨中，玄宗皇帝仓皇出逃，身为监察御史的高适一路追随玄宗皇帝逃往成都。这段共患难的日子使得两人结下了深厚的情谊，于是他被破格提拔为谏议大夫，完成了从八品官到五品官的飞跃。仅仅四个月后，高适更是一跃成为淮南节度使。

玄宗皇帝原本任命永王李璘为山南东路、黔中、江南西路节度使，可就在四天前，他的另一个儿子李亨却擅自登基称帝，等玄宗皇帝得到这个消息时，李璘已然上路了。李璘不甘心再回到父亲身边继续做一个有名无实、有职无权的藩王，在部将的劝说下，有了割据一方之心。

淮南节度使高适奉新皇帝李亨之命前去讨伐李璘，仅仅三个月，走投无路的李璘便在逃亡路上被杀。高适虽为朝廷立下大功，却是老皇帝的心腹，新皇帝李亨自然对他不太放心，他身边的心腹宦官李辅国又竭力诋毁高适。高适很快便被免去淮南节度使之职，贬为太子詹事，成为管理东宫事务的闲职人员。

乾元二年（公元 759 年），高适出任彭州刺史。次年，他意外收到远在成都的好友杜甫写给他的《因崔五侍御寄高彭州一绝》：

百年已过半，

秋至转饥寒。

为问彭州牧，

何时救急难。

高适比杜甫年长八岁，宛如兄长般关照着仕途不如意的杜甫。他太了解高傲的杜甫了，不到万不得已他是断然不会向自己开口的。如今他虽也在贬谪途中，但毕竟是一州之刺史，况且彭州距离成都不远，随即他便向饥寒交迫的杜甫施以援手。不过，他虽救得了急，却改不了杜甫的命！

上元二年（公元 761 年），高适又想起了远在成都草堂的好友杜甫，特地给他送去一首诗《人日寄杜二拾遗》：

……

一卧东山三十春，

岂知书剑老风尘。

龙钟还忝二千石，

愧尔东西南北人。

就在高适心忧好友的前途时，谁都不曾想到，他自己的仕途不久便迎来了转机。

广德元年（公元 763 年），此时的皇帝已然换成李亨之子李豫，史称“唐代宗”。代宗皇帝任命高适为剑南节度使。剑南与淮南均是大唐首屈一指的大藩镇，这两镇的节度使中有不少跻身宰相之列，也有不少宰相下野后来到这两个藩镇担任节度使。

或许是时运不济，或许是能力欠缺，身居高位的高适不仅没能借机更进一步，反而很快便失去了来之不易的节度使之职。

当时咄咄逼人的吐蕃军攻陷松州、维州、保州三州之地，高适对吐蕃人的悍然入侵却是束手无策，大唐西南边陲一时间岌岌可危。朝廷只得将高适召回朝中，但并未苛责这位老臣。

高适先任刑部侍郎，后任左散骑常侍，还获封渤海县侯。他并不想拿着高额俸禄混吃等死，却等不来朝廷的重用。

两鬓斑白的高适慨叹年轻时白白浪费了青春，如今却因垂垂老矣而只能活在回忆之中，回忆曾经那段仗剑走天涯的日子！

永泰元年（公元 765 年）正月，六十二岁的高适与世长辞。噩耗传来，老友杜甫悲痛欲绝，又拿出高适之前写给他的那首《人日寄杜二拾遗》，诗还在，人却已然远去！

五年时光悄然逝去，杜甫却依旧难以忘记高适，那个曾经的豪侠少年仍旧会时常浮现在他的脑海之中，恍如昨日初别，于是他动情地写下了《追酬故高蜀州人日见寄》：

自蒙蜀州人日作，不意清诗久零落。

今晨散帙眼忽开，迸泪幽吟事如昨。

……

文章曹植波澜阔，服食刘安德业尊。

长笛谁能乱愁思，昭州词翰与招魂。

不久，杜甫病逝于舟上，临终之际耳边是滔滔江水，曾经那个繁盛的大唐已然随着滚滚江水悄然逝去，留下的是残破不堪的河山！

高适虽走了，却留下了一段励志的传奇。他四十六岁入仕为官，却并不懂得珍惜，仅仅干了三年便辞官而去。可他日后居然出人意料地成为两镇节度使，成为无数在基层辛苦打拼的官员顶礼膜拜之人。

高适昔日的同僚们终其一生都只能在艰苦岗位上忍着、捱着，凭借几年、十几年甚至几十年的功劳与苦劳偶尔迁转一两阶，其中还不乏任期届满后未能被授予新职务之人。还有人甚至厌倦了当官的日子，离开了并不舒适的体制内，再也未曾回来！

高适的成功说明，任何时候努力都不算晚，只要你的心中还有梦想！

两度出塞见识大唐最后荣光——岑参

岑参与高适均为边塞诗的旗帜性人物，并称“高岑”。他曾自豪地说：“国家六叶，吾门三相矣。”他的家族之中曾涌现出三位宰相，曾祖父岑文本为太宗朝宰相，岑文本之侄岑长倩为武则天时期宰相，岑文本之孙岑羲为中宗、睿宗两朝宰相。

不过，曾经显赫的岑家后来却遭遇了一场灭顶之灾。岑羲当初之所以能够拜相，得益于太平公主的举荐，可后来太平公主为了争权，竟与她的侄子玄宗皇帝李隆基势同水火。玄宗皇帝瞅准时机将太平公主一党一举铲除，岑羲在惨烈的政争中被杀，岑氏一门就此一蹶不振！

开元六年（公元718年），日新月异的大唐国力空前、强盛一时。岑参顶着相门子孙的耀眼光环降生了。他继承了祖辈的优良基因，聪颖早慧，五岁读书，九岁作文，成为同龄人之中的佼佼者。

岑参的骨子里流淌着高贵的贵族血液，怀着重振家门的远大抱负，这些铸就了他不甘平庸的性格。

他十五岁时追随哥哥前往嵩山隐居，一住便是五年。这段隐居的日子磨炼了他的心性，也开阔了他的眼界，不过他后来却有些恋恋不舍地下山了——为了自己的功名，更为了家人的生计！

二十岁时，岑参来到了人才济济的长安，将自己最为得意的作品呈递到权贵们的府上，希望能得到他们的举荐，结果却是石沉大海。他在家乡虽小有名气，但在帝都长安却是寂寂无闻，屡屡吃闭门羹也就不足为奇了。

不过岑参并未气馁——他还年轻，还有的是机会！

在此后十多年的时间里，岑参频繁地辗转于洛阳、长安两地，或游览古迹，或拜访道士，或拜谒高官，积极探寻入仕之路，也结交了很多友人，其中有“七绝圣手”王昌龄、忧国忧民的“诗圣”杜甫，还有仗剑走天涯的高适。这些人曾是岑参仰慕许久的偶像，也是他满心敬畏的前辈，如今都成了他的挚友。

王昌龄虽不似高适、岑参那样曾在边陲任职，却曾在边陲游历两年之久。早在高适、岑参对边塞尚且懵懂之时，他所写的边塞诗便已闻名海内外。

在王昌龄的笔下，边塞是“撩乱边愁听不尽，高高秋月照长城”，边塞是“烽火城西百尺楼，黄昏独上海风秋”，边塞是“青海长云暗雪山，孤城遥望玉门关”，边塞是“大漠风尘日色昏，红旗半卷出辕门”，边塞是“玉门山嶂几千重，山北山南总是烽”。

王昌龄那些慷慨激昂的诗句深深地触动了血气方刚的岑参，激励着他去边塞建功立业，赢得生前身后名，也不枉来这世间一趟！

天宝三载（公元744年），岑参如愿以偿地登进士第，但之后却是长达三年的漫漫守选期。他并未闲居家中，而是四处游历，寻师拜友，寻道悟禅，珍惜这最后的惬意时光！

守选期满后，岑参获授右内率府兵曹参军，杜甫的仕途也起步于东宫十率府。进士及第后能被授予八品官已属不易，不过同一品级的官职含金量不尽相同，而东宫官升迁缓慢，又素来不被时人所看重。岑参对朝廷如此安排自然是不满意，却又因生计所迫而不得不接受。

岑参依依不舍地辞别隐居地高冠峪，怀着复杂的心情写下了《初授官题高冠草堂》:

三十始一命，宦情多欲阑。

自怜无旧业，不敢耻微官。

涧水吞樵路，山花醉药栏。

只缘五斗米，辜负一渔竿。

东晋田园诗人陶渊明不为五斗米折腰，如今岑参却为了五斗米而不得不割舍下闲居野钓的日子，那根陪伴他许久的鱼竿也就此被他彻底辜负了。

天宝八载（公元749年），安西节度使高仙芝入朝，上表举荐岑参为右威卫录事参军、安西节度使掌书记。岑参追随一代名将高仙芝第一次出塞，出玉门关，爬雪山，过火山，这才抵达安西都护府驻地。岑参看到了在中原不曾看到的奇异风景，在他眼中这简直就是一个神话般的世界！

短暂的新奇过后，岑参深深地体会到边塞生活的艰险与苦涩。不过看到勇猛无畏的将士们争先恐后奋勇杀敌，他又不禁热血沸腾。

就在岑参准备在塞外建功立业之时，事态却发生了戏剧性转折。自从入幕开始，他便与幕主高仙芝一损俱损、一荣俱荣，可高仙芝此番却摊上大事了。

吐火罗叶护失里怛伽罗上奏朝廷说，朅师国国王依附吐蕃，自己想要率兵讨伐朅师国，请求大唐发兵助战。

获得朝廷恩准后，高仙芝于天宝九载（公元 750 年）二月率军击破朅师国，俘虏了朅师国国王勃特没与吐蕃酋长。他又派人假意与石国议和，却乘其不备出兵偷袭，俘虏了石国国王及其部众，并尽杀族中老弱。返程途中，高仙芝又以突骑施背叛为由一举击破突骑施，俘虏了突骑施可汗。

天宝十载（公元 751 年）正月，志得意满的高仙芝入朝，将俘获的突骑施可汗、吐蕃酋长、石国国王、朅师国国王等人进献给玄宗皇帝李隆基，他在朝中的威望就此达到了顶峰。不过三个月后的一场惨败，却使得他不得不黯然离开。

石国灭亡后，石国王子前往周边各国紧急求援，还暗中联合大食共同进攻大唐。当年四月，高仙芝得知消息后亲率蕃、汉兵三万余人深入敌境七百余里，行至怛罗斯城与大食军遭遇。双方连续激战五日都未见胜负，就在双方僵持不下之际，依附于大唐的葛逻禄部却突然叛变，与大食军一起夹击唐军。唐军顿时大败，死伤大半，高仙芝仅率千余人趁着夜色仓皇逃走。

此败之后，高仙芝被解除了安西、北庭节度使之职，入京担任右金吾大将军，岑参作为幕僚也跟随高仙芝返回了长安。

回到阔别已久的长安，岑参与杜甫、高适、储光羲、薛据同登慈恩寺塔，聊创作，谈感悟，论人生。此时的杜甫还未能获得一官半职，高适在县尉任上过得也很是凄苦，想要辞官前往边陲建功。其实壮志未酬的岑参同样向往着昔日的边塞生活，但他只能默默地等待机会。

天宝十三载（公元 754 年），安西、北庭节度使封常清挟击败大勃律国的余威入朝。封常清征辟岑参为安西、北庭节度判官，如愿以偿的岑参怀着激动的心情再度出塞。

封常清率军西征播仙，岑参在后方留守，听闻封常清大破播仙的捷报后欣然写道：

汉将承恩西破戎，捷书先奏未央宫。

天子预开麟阁待，只今谁数贰师功。

……

岑参曾在漫天大雪中送别即将归京的武判官，当时虽是八月，眼前却已然是一片银装素裹。谁说春风不度玉门关？枝头的雪不就是一朵朵梨花吗？

北风卷地白草折，胡天八月即飞雪。

忽如一夜春风来，千树万树梨花开。

……

正是一代代戍边人扎根边疆，才为大唐带来了长久的安宁。不过，久经战争锤炼的边军既有可能是大唐的守护者，也有可能沦为大唐的毁灭者！

空前繁盛的大唐突然迎来了一场前所未有的血雨腥风，身兼范阳、河东、平卢三镇节度使的安禄山举兵反叛，岑参的两位上司就此被推到了战争最前沿。可悲的是，在大唐最需要他们的时候，他们却都死在自己人的手中！

安禄山率叛军一路势如破竹，就在玄宗皇帝李隆基一筹莫展之际，安西、北庭节度使封常清进京面圣，主动请缨抵挡叛军。虽然麾下精兵远在西域，他仍旧义无反顾地肩负起保卫东都洛阳的重任，明知不可为而为之。

在锐不可当的叛军进攻之下，势单力孤而又仓促应战的封常清屡战屡败，眼见回天乏术只得仓皇撤离，前往陕郡投奔高仙芝。

封常清认为长安门户潼关此时还毫无防备，如若叛军绕过陕郡，突袭潼关，长安危矣！经过一番痛苦抉择，高仙芝最终还是采纳了封常清的建议。在他看来，或许只有险峻的潼关才可以阻挡叛军犀利的进攻。

在撤退的关键时刻，身经百战的高仙芝竟忽然有些胆怯，本应是有组织的撤退，最后却成了无秩序的溃退。

其实叛军在攻占洛阳后便停下来进行休整，只派出小股部队继续追击溃逃的唐军，但就是这一小股叛军人马的突然出现，使得惊恐到极点的唐军迅速陷入一片混乱之中，数不胜数的士卒死于战友间的踩踏之下。

玄宗皇帝李隆基得知后怒不可遏，宦官边令诚又竭力从中挑拨离间。

丧失理智的玄宗皇帝居然残忍地斩杀了高仙芝、封常清这两位身经百战的将领，以至于不得不起用已然中风瘫痪的哥舒翰，让一个病人去守潼关，

此时的岑参虽远在千里之外的北庭，但听闻两位长官无故被杀后仍旧痛心不已，听说玄宗皇帝逃亡四川后肝肠寸断。不过听到太子李亨在灵武称帝的消息后，他又重拾信心。

在大唐危亡之际，岑参虽只是个微不足道的小角色，却不甘心只做一个远在边关的旁观者，于是他离开了闪耀着大唐最后荣光的西域，此生再也未曾回去！

岑参风尘仆仆地前去觐见新皇帝李亨，还献上了《行军诗二首》：

……

功业今已迟，览镜悲白须。

平生抱忠义，不敢私微躯。

当时肃宗皇帝李亨身边的朝臣少得可怜，见岑参不远万里主动前来投奔，自然对他另眼相看。

岑参先被提拔为右补阙，后升任起居舍人，也就是记录皇帝言行的文秘人员。不过他却因“频上封章，指述权佞”而被贬为虢州长史。

岑参在虢州的时光过得很不如意，就在他想要辞官隐居之际，却忽然迎来了转机。此时肃宗皇帝李亨已然病逝，新即位的代宗皇帝李豫想起了岑参这位孤勇之臣，于是将他召入朝中担任太子中允，他就此成为东宫左春坊的副长官。

天下兵马元帅雍王李适（也就是后来的德宗皇帝）在陕州坐镇讨伐史朝义，岑参又做起了熟悉的掌书记，也算是圆了他金戈铁马的梦！

安史之乱结束后，岑参因功在朝中先后担任考功员外郎、虞部郎中、库部郎中，也就是所谓“三度为郎”。六部各设四司，长官为郎中，副长官为员外郎。考功司隶属吏部，主管官员考课，类似于如今的绩效考核；虞部司隶属工部，负责长安街道绿化、山泽园林管理、柴火木炭供应以及皇家贵族围猎等事宜；库部司隶属兵部，掌管兵器以及仪仗事宜。

物极必反是世间亘古不变的规律，顺风顺水的岑参也难逃被贬谪的命运。

永泰元年（公元 765 年）十一月，岑参被贬出京，出任嘉州刺史。也因这段任职经历，他被后人称为“岑嘉州”。他不会想到，多年后，就在他任职的地方，一家之中涌现出三位光耀千古的大文豪——苏洵、苏轼与苏辙父子三人就诞生在这片人杰地灵的土地上。

大历三年（公元 768 年）七月，岑参被免职后东归，抵达戎州时却被亡命之徒所阻，无法继续沿着水路行进，只得从陆路北行至成都。

岑参困守在成都旅舍之中，回顾着自己曾经走过的人生路，怀着悲愤的心情写道：

三度为郎便白头，一从出守五经秋。

莫言圣主长不用，其那苍生应未休。

人间岁月如流水，客舍秋风今又起。

不知心事向谁论，江上蝉鸣空满耳。

岑参仅仅担任过三任郎官便已然白头，随后外放嘉州任职又过去了几个年头。他虽感慨未能被朝廷重用，却依旧心系苍生。

时至暮年，处境维艰，岑参虽有满腹心事，却无处去倾诉。此时江上传来的阵阵蝉声，不仅不能排遣他心中的惆怅，反倒引发了无穷的愁烦。

次年秋冬之际，岑参病逝于成都旅舍之中。临终之际，他恍惚间又见到了沙场秋点兵，仿佛又回到了魂牵梦绕的大漠，似乎又听到了吹角连营……

此时的岑参一会儿清醒，一会儿却又糊涂，耳边再度响起了那首慷慨激昂的诗：

……

花门楼前见秋草，岂能贫贱相看老。

一生大笑能几回，斗酒相逢须醉倒。

爱折腾的人却被命运折腾——王昌龄

秦时明月汉时关，

万里长征人未还。

但使龙城飞将在，

不教胡马度阴山。

——《出塞二首·其一》

青海长云暗雪山，

孤城遥望玉门关。

黄沙百战穿金甲，

不破楼兰终不还。

——《从军行七首·其四》

这两首脍炙人口的边塞诗均出自“七绝圣手”王昌龄之手。圣历元年（公元698年），他出生在山西太原的一个寒门家庭，成年后以务农为生。后来，他渐渐厌倦了农耕渔樵的日子，觉得田地束缚了他的发展，也阻碍了他的视野。

经过一番权衡，王昌龄勇敢地离开了自己的一亩三分地——他觉得既然世界那么大，就应该勇敢地到外面去看一看、闯一闯。

二十三岁的王昌龄离开了熟悉的家乡，前往嵩山学道，此后又客居山西，漫游河北，穷游塞外，隐居田园……

王昌龄在自己的前半生不断尝试着各种不同的生活，而雄浑的边塞激发了他的创作灵感，荒凉的大漠、苍茫的草原、雄浑的凉州、恢宏的关隘、西域的风雪，还有戍边的惆怅，都被他写入诗中，汇成雄壮的边塞赞歌！

开元十五年（公元727年），王昌龄决意要有所改变，于是他渐渐收敛起自己的个性，积极寻找人生出路。

王昌龄参加了当年的进士科考试，一举登第，随后被朝廷任命为秘书省校书郎（正九品上阶），就此揭开了仕途生涯的崭新篇章。

王昌龄在校书郎任上一干就是四年，却迟迟得不到迁转，于是又参加了开元十九年（公元731年）举行的博学宏词科考试，居然再次成功高中，升任河南府汜水县尉（正九品下阶）——他兜兜转转，仍旧只是个九品官。

虽然仕途并不如意，但才华横溢的王昌龄交友广泛，当时的大诗人李白、孟浩然、岑参、王之涣、王维、高适等均是他的好友。在他极度苦闷无助的后半生，唯有朋友的惦念会为他那颗满是苍凉的心带去丝丝暖意。

开元二十四年（公元736年）的某一天，王昌龄、高适、王之涣来到长安城中的一座酒楼对饮。三人围坐在小火炉前喝着小酒，看着梨园子弟们登台献艺。

四位国色天香的女子翠围珠裹，摇曳生姿，缓缓走上台来。随着乐曲声渐渐响起，王昌龄满是骄傲地说："我们三个在当今诗坛上皆是响当当的大人物，却一直难分高下。如今便是一个天赐良机，谁的诗被传唱得多，谁便赢了。”

第一位歌女笑靥如花地唱道：“寒雨连江夜入吴，平明送客楚山孤。洛阳亲友如相问，一片冰心在玉壶。”她唱的是王昌龄所作《芙蓉楼送辛渐》，王昌龄得意地用手在墙壁上画了一道。

一曲终了，第二位歌女唱道：“开箧泪沾臆，见君前日书。夜台今寂寞，独是子云居。”她唱的是高适所作《哭单父梁九少府》，高适赶忙伸出手在墙壁上画了一道，说：“此乃我的一首绝句！”

第三位歌女出场，清了清嗓子唱道：“奉帚平明金殿开，且将团扇共徘徊。玉颜不及寒鸦色，犹带昭阳日影来。”这是王昌龄所作《长信秋词》，喜出望外的王昌龄忙伸手又在墙壁上画了一道，此时的他似乎已然稳操胜券，于是得意扬扬道：“在下已有两首诗作。”

王之涣成名比两人都要早，自以为有许多为人们所熟识的诗作传世，可如今却尚无一首被歌女们唱起，自觉颜面无光，却又不肯轻易屈居人下，于是道：“刚刚那三个歌女唱的不过是‘下里巴人’般不入流之作，在下所作‘阳春白雪’之类的高雅之曲，又岂是她们能够驾驭得了的？”

王之涣用手指了指其中长相最为出众的歌女，信心满满道：“此女登场后若唱的不是我的诗，我这辈子便不再与二位争高下，但若唱的是我的诗，那么便请二位拜倒于在下座前，尊我为师！”

那个被王之涣寄予厚望的歌女缓缓登上台，轻轻张开朱唇，唱道：“黄河远上白云间，一片孤城万仞山。羌笛何须怨杨柳，春风不度玉门关。”她唱的是王之涣所作的《凉州词》，如释重负的王之涣脸上顿时便露出了得意的神情，王昌龄与高适也随即发出了爽朗的笑声。“旗亭画壁”就此成为大唐诗坛的一段佳话。

王昌龄敢于与当时久负盛名的王之涣和高适一决高下，足见他内心的高傲，不过他的确有高傲的资本。他才华横溢，两考两中，羡煞旁人。不过官场不同于考场，考场得意的王昌龄很快便品尝到官场失意的滋味——他的后半生不是被贬官，就是在被贬官的路上！

开元二十六年（公元738年），王昌龄被贬往岭南，好友孟浩然得知后为其写下《送王昌龄之岭南》：

洞庭去远近，枫叶早惊秋。

岘首羊公爱，长沙贾谊愁。

土毛无缟纻，乡味有槎头。

已抱沈痼疾，更贻魑魅忧。

数年同笔砚，兹夕间衾裯。

意气今何在，相思望斗牛。

孟浩然从洞庭秋意写起，枫叶惊秋，一片萧瑟，还将王昌龄与羊祜、贾谊相提并论，称赞王昌龄有过人才华，如今却要被无端贬谪至尚未开化的岭南之地，对此深表同情与忧虑。

岭南指南岭以南的广大地区。苍翠挺拔的南岭成为长江流域与珠江流域的分水岭，主要包括如今的广东与广西。唐朝时，岭南地区不仅人烟稀少、蛮族出没，而且瘴气弥漫、环境恶劣，中原人常常是谈岭南而色变。

不过王昌龄并未在岭南待多长时间，次年便遇到朝廷大赦，欣然北还。就在这年秋，王昌龄在巴陵与李白不期而遇，写下了《巴陵送李十二》：

摇曳巴陵洲渚分，

清江传语便风闻。

山长不见秋城色，

日暮蒹葭空水云。

王昌龄继续北上，前往荆州拜访了张九龄，不过这位昔日宰相如今却已被贬为荆州大都督府长史。这也是两人的最后一面，因为此后不久张九龄便郁郁而终。

王昌龄来到襄阳，前去探望许久未见的孟浩然。好友相见自然少不了开怀畅饮，可就是这场酣畅淋漓的宴饮却使刚刚痊愈的孟浩然旧病复发，溘然长逝，这也成为王昌龄此生永远的痛。

开元二十八年（公元 740 年）冬，王昌龄在京城长安办理完相关任职手续后，准备启程前往江宁赴任。

见王昌龄即将孑然一身远谪他乡，岑参等一众好友赶来为他饯行。大家把盏对斟，欲说还休，不知此一去多久才能再相见。岑参特地写下了《送王大昌龄赴江宁》：

对酒寂不语，怅然悲送君。

明时未得用，白首徒攻文。

泽国从一官，沧波几千里。

群公满天阙，独去过淮水。

旧家富春渚，尝忆卧江楼。

自闻君欲行，频望南徐州。

穷巷独闭门，寒灯静深屋。

北风吹微雪，抱被肯同宿。

君行到京口，正是桃花时。

舟中饶孤兴，湖上多新诗。

潜虬且深蟠，黄鹄举未晚。

惜君青云器，努力加餐饭。

岑参感慨王昌龄徒有生花之妙笔与治国济世之才干，却始终得不到君主赏识，始终得不到朝廷重用，劝慰王昌龄不必计较一时之得失，而是要珍重自我，以待时机。他坚信王昌龄好似蛰伏之潜龙、待举之黄鹄，终有一日会青云直上，大展宏图。岑参还特地在诗的末尾规劝王昌龄一定要多多保重，多吃些餐饭！

天宝七载（公元748年），王昌龄已然在江宁县县丞任上辛辛苦苦干了八年之久。他终于等到了工作调动的通知，谁知却并非还朝，也非升迁，而是继续贬谪——五十一岁的他被贬为龙标县县尉。

远在扬州的好友李白听闻王昌龄再度被贬的消息后，怀着极其失落的

心情写下了《闻王昌龄左迁龙标遥有此寄》:

杨花落尽子规啼，

闻道龙标过五溪。

我寄愁心与明月，

随风直到夜郎西。

虽然两人相隔两地，不得相见，但月照中天，千里可共，李白想要将愁绪寄予明月，托清风送至好友的心头。

身在遥远异地的王昌龄时常会感到前所未有的孤寂与苦闷，唯有故友来信、挚友来访才会为他死水般的生活平添些许涟漪。

那日，好友柴姓侍御史恰巧路过龙标，王昌龄自然是欣喜不已，不过好友还要前往武冈公干。临别之际，王昌龄为他写下了《送柴侍御》:

流水通波接武冈，

送君不觉有离伤。

青山一道同云雨，

明月何曾是两乡。

两人虽分隔两地，但面对的是一样的青山，沐浴的是一样的风雨，头顶同一轮明月。即便离别后远隔重山，再难相见，两人依旧是同云雨、共明月，心相连!

至德元载(公元756年)，王昌龄离开了任职八年之久的龙标县。仅仅是江宁、龙标两地便耗费了他足足十六年的青春，此时的王昌龄已然是年近花甲的垂垂老者。

不过最令王昌龄感到悲伤的却不是自己的不幸经历，而是如今的大唐正面临着一场前所未有的大浩劫——安史之乱的硝烟已然席卷了整个中原！王昌龄只得眼睁睁地看着曾经富庶昌盛的大唐变得生灵涂炭、民不聊生。

至德二载（公元757年）十月，北上还乡的王昌龄路过亳州（也有说是路过濠州）时遇害，凶手为刺史闾丘晓。

“两唐书”记载闾丘晓为濠州刺史，但《资治通鉴》却记载他为谯郡（即亳州）太守，这也是王昌龄遇害地点说法不一的原因。

一个是手握大权的刺史，一个是去职归乡的文人，两人虽看似毫不相干，但闾丘晓却对王昌龄痛下杀手。闾丘晓为何要如此对待他，史书之中并未留下详细记载。《唐才子传》只是草草记述：“（王昌龄）归乡里，为刺史闾丘晓所忌而死。”这个“忌”字颇为耐人寻味。是嫉妒他的才华，还是忌恨他的过往？由于语焉不详，我们便不得而知了。

王昌龄的遭遇告诉我们，一定要远离那些“垃圾人”。这些人做事毫无底线，或许一个不经意的举动便会招致他们强烈的杀意。不过恣意妄为的闾丘晓最终也没有什么好下场。

当时孤胆英雄张巡率领残部死守睢阳郡，在大批叛军的猛烈进攻之下，睢阳郡一时间岌岌可危，河南节度使张镐责令闾丘晓率军前去救援。

张镐本是一介布衣，却机缘巧合地得到奸相杨国忠的举荐而得以入仕，短短三年时间便跻身宰相之列。肃宗皇帝李亨认为他是难得的文武全才，于是命其兼任河南节度使。可闾丘晓却从心底里看不起一步登天的张镐，对于张镐的将令阳奉阴违。因畏惧兵锋日盛的叛军，他始终行动迟缓，畏战不前，冷漠地注视着睢阳城这座孤城最终被潮水般袭来的叛军攻破。

闾丘晓觉得自己身为一方大员，即便张镐对他有所不满，也奈何不了他。若是在以前的确如此，没有朝廷恩准不能擅自处置刺史这样的地方高官，可当时硝烟四起，张镐又是个疾恶如仇之人，于是命人将闾丘晓逮捕，随后判处死刑。

闾丘晓这才开始怕了，痛哭流涕地求饶道："还望您能法外开恩，下官家中还有年迈的父母需要照料！"

听他如此说，张镐不仅没有流露出丝毫怜悯之情，反而质问道："你的父母需要照料，王昌龄的父母又由谁来照料呢？"闾丘晓顿时无言以对，惭愧地低下了头。

闾丘晓的伏法虽告慰了王昌龄的在天之灵，但那位才华横溢的"诗家天子"已与他毕生深爱的大唐永远阴阳两隔了！

蹉跎在基层的大才子——王之涣

黄河远上白云间，

一片孤城万仞山。

羌笛何须怨杨柳，

春风不度玉门关。

王之涣凭借这首气势雄浑的《凉州词》位列“边塞四大家”。高适、岑参都有在边塞从军任职的经历，王昌龄也曾出塞游历两年多。可让人大跌眼镜的是，王之涣一生都未曾去过塞外，却依旧凭借这首诗跻身边塞诗歌领军人的行列！

王之涣出身于门第显赫的太原王氏，五世祖王隆之曾任绛州刺史，因此他们这一支得以迁居绛州。不过随着王朝更替，他们的家族渐渐不再有昔日的辉煌。

王之涣出生于垂拱四年（公元688年），自幼聪颖，弱冠能文，慷慨有大略，倜傥有异才。不过青少年时期的王之涣却与高适有点像，任性叛逆，无心读书，崇侠尚武，放达不羁。或许正因如此，他才会写出铁骨铮铮的《凉州词》。

年过二十的王之涣才从游侠梦中渐渐清醒过来，开始为自己与家人的生计考虑。他既非通过科举入仕，也非通过荐举入仕，而是通过门荫入仕，也就是凭借门第直接当官。

王之涣被授予衡水县主簿，因为才华横溢很快便得到顶头上司衡水县令李涤的赏识，李涤甚至还将自己的第三女嫁给了王之涣。

开元十年（公元722年），新婚燕尔的王之涣简直就是人生赢家，官也当了，婚也结了，似乎人生也就此圆满了。谁知五年后却横生枝节！王之涣遭到他人恶意诬陷诽谤，一怒之下辞官而去。这一年他三十九岁，即将步入不惑之年，但前途莫测的人生路却使得他困惑不已。

此后的时间里，王之涣一直赋闲在家，即便外出游历也局限于周边的山西、河南等地，始终不曾远行，更未曾去过遥远的边疆。

那日，王之涣来到蒲州鹳雀楼。鹳雀楼本是用于军事瞭望的戍楼，后因跻身“四大名楼”而成为著名的旅游景点。王之涣饶有兴趣地来到这里，写下了著名的《登鹳雀楼》：

白日依山尽，

黄河入海流。

欲穷千里目，

更上一层楼。

那是一个夕阳西下的黄昏，王之涣登楼远眺，借景抒怀，回首西望，夕阳西坠，点点余晖渐渐隐入群山；举目东眺，滚滚黄河奔腾入海。

王之涣巧妙地缩万里于咫尺，使咫尺有万里之势，虽置身于一楼，却写尽了万里河山的磅礴气势，非大手笔不能为。王之涣随后由景入理，“欲穷千里目，更上一层楼”，解释了登高望远的朴素哲理，也表现出积极探索与无限进取的人生态度。因此，这首诗被誉为唐朝五言诗的压卷之作！

天宝元年（公元 742 年），在挚友们的劝说之下，王之涣二度入仕，担任文安县县尉。王之涣或许有深深的恋家情结，不仅游历不曾远行，即便是当官也都是在家门口转悠，两度任职都在河北境内，与家乡山西近在咫尺。

王之涣为官清廉，处事公平，很快便得到当地百姓的爱戴。更难能可贵的是，大才子王之涣居然还是个审案高手。

那日，三十多岁的民妇刘月娥突然跑到县衙里来告状，此案居然还是一桩命案。刘月娥的公婆去世得早，丈夫又长年在外经商，家中只有她与小姑相伴。昨晚她去邻居家推碾，小姑独自在家中缝补衣物，可她回家时却听到了呼喊救命的声音。她急忙向屋内跑去，在屋门口迎面撞见一个急于逃走的男人，便与他厮打起来，还将他抓伤，却因力气小让那人跑掉了。她进屋后掌灯一看，发现小姑胸口扎着一把剪刀，此时已然断了气。

王之涣听她介绍完案情后问道："你可看清那人长什么模样？"

刘月娥摇了摇头说："当时天很黑，奴家并未看清那人模样，只知他身高力大，光着上身。"

王之涣又问："当时家中可还有别人？"

刘月娥回答："家中只有一条黄狗，并无旁人！"

王之涣继续问："那晚你回家时可曾听到狗叫声？"

刘月娥却摇了摇头。王之涣据此认定是熟人作案！

这天下午，县衙的差役们在各乡张贴告示，说是明天要在城隍庙内审问黄狗，届时凶手将会无处逃遁。

次日，好奇的百姓蜂拥而来，将庙里庙外挤得水泄不通。王之涣见人来得差不多了，喝令差役们将小孩、妇女、老头统统轰出庙去，只剩下一百余个年轻力壮的小伙子，然后命差役关上庙门。

王之涣喝令他们全都脱掉上衣，面对着墙站好。他逐一查看，发现一人脊背上有两道红印子，此人正是刘月娥的街坊李二狗。经过一番讯问，他供认自己就是杀害刘月娥小姑的凶手。

不过上天留给王之涣的时间已然不多了，当年二月二十四日，上任不足三个月的王之涣便病逝于官舍之中，享年五十五岁。

史书中关于王之涣的记载寥寥无几，他传世的诗作也只有区区六首，但仅仅是《登鹳雀楼》与《凉州词》这两首诗便足以使他彪炳诗坛，流芳百世！

| 延伸阅读 | 权贵子弟的躺平人生

边塞大诗人王之涣与“诗鬼”李贺均是通过门荫入仕。门荫就是赤裸裸的“拼爹”，既不科学，也不公平，但由于世族大家的影响力实在太大，朝廷不得不为名门子弟入仕当官提供捷径。哪些人可以享受到这项优惠政策呢？一是拥有爵位的人员，二是皇帝的亲戚，三是高级官员的子弟。

进士及第者一般只会获得从九品下阶的出身，顺利通过吏部主持的铨选或科目选后才会被正式授予官职。循资格实行后，贡举及第者和任期届满的六品以下官员都需要守选，可能在家赋闲数年之久。中下级官员通常需要干三五年才有可能获得升迁。按照正常晋升速度，一个进士及第者要想升迁到从五品下阶需要五六十年。

这对普通官员而言颇为艰难，但对很多权贵子弟来说却是唾手可得。玄宗皇帝李隆基得知宠臣王毛仲喜得贵子，特赐他尚在襁褓之中的儿子五品官，引得不计其数的人艳羡不已。可是天有不测风云，次年王毛仲便因骄横跋扈惹怒了玄宗皇帝，先被流放，后被赐死，他那个一出生便获得五品官的儿子也沦为了政治斗争的牺牲品。

第五章 沉舟侧畔千帆过

——宦海沉浮的失意人

无奋斗不成功——韩愈

大历三年（公元 768 年），日后光耀文坛的大文豪韩愈呱呱坠地，此时他的父亲韩仲卿正在朝中担任秘书郎。韩愈虽生在官宦之家，但他的童年却很不幸，父亲在他三岁的时候便去世了，韩愈就此沦为了孤儿。

父亲走后，兄长韩会主动承担起抚育弟弟韩愈的重任。韩会的妻子郑氏天性善良，性情温婉，因此韩愈寓居在哥哥家毫无寄人篱下之感。韩会因才华出众而得到宰相元载的赏识，被提拔为起居舍人，负责记录皇帝的言行。

大历十二年（公元 777 年），元载因飞扬跋扈、目无君上而被代宗皇帝李豫赐死，韩会因受到牵连也被贬为韶州刺史，年仅十岁的韩愈被迫跟随兄长前往遥远的韶州生活。

建中元年（公元 780 年），年仅四十三岁的韩会因终日郁郁寡欢而病逝于韶州任所，此时的韩愈只有十三岁，再度变得孤苦无依。韩愈怀着极度悲伤的心情跟随寡嫂郑氏回到家乡河南府河阳县，将客死他乡的兄长安葬。

韩愈与寡嫂在家乡艰难度日，但一场大变乱却打碎了他们宁静的生活。刚刚去世的代宗皇帝一直姑息藩镇割据势力，他的儿子德宗皇帝李适一上台便急于铲除藩镇割据势力，想要实现真正的统一，却因操之过急使得大唐上下烽烟四起。为了躲避战火，寡嫂郑氏带着年幼的韩愈避居宣城，两人骤然来到陌生之地，又无亲眷帮衬，日子过得愈加艰辛。

韩愈虽自幼饱尝生活艰辛，却“不待扬鞭自奋蹄”，立志要通过发奋苦读来出人头地、光耀门楣，让含辛茹苦照顾自己的寡嫂过上幸福生活。

贞元三年（公元 787 年）秋，二十岁的韩愈前往长安参加科考，谁知却遗憾落第。身在长安的韩愈无所依靠，原本想着去投奔堂兄韩弇，却意外听到了堂兄死于非命的噩耗。

这年夏天，长安城中弥漫着和平而又喜悦的气氛，大唐使臣已经与吐蕃人约定在平凉川会盟，所有人都期盼着这次会盟能够开启一个祥和安宁的时代。

闰五月十九日，庄严的会盟仪式即将举行。数万吐蕃精锐骑兵正在暗处静静等待着，仿佛是静候猎物出现的狼群，随时准备冲上去撕咬猎物，可悲的是猎物对即将到来的危险竟全然不知。

吐蕃人建议双方各自派出数十名流动巡逻兵随时掌握对方的行动，从而消除彼此的疑心。吐蕃巡逻兵在唐军军营之中进进出出，穿来穿去，将唐军的军力部署和武器配备摸得一清二楚，可唐军派出的巡逻兵进入吐蕃军阵后全被擒获了。

此时的唐军主帅浑瑊对吐蕃人的阴谋还没有丝毫察觉，若无其事地走入大帐，准备换上举行仪式时要穿的华丽礼服。

恰在此时，吐蕃人拿起沉重的鼓槌重重地敲击战鼓。听到鼓声，吐蕃人突然呼喊着冲杀过来，很多大唐高级官员都惨死在吐蕃人的屠刀之下。

战争经验丰富的浑瑊具有出众的应变能力，迅速跑出营帐，拉过一匹马飞身上马，策马狂奔。一阵乱箭呼啸着从他的身边掠过，他紧紧地伏在马背上，居然奇迹般地没有受伤。

其他人可就没有那么幸运了，吐蕃人纵情杀戮着，数百人被杀，上千人被俘，其中就有年仅三十五岁的韩弇。

由于堂兄意外惨死，孤身在长安的韩愈变得无依无靠，不过他却并未就此放弃，依旧咬牙坚持着。

贞元三年至五年（公元 787—789 年），韩愈连续三次参加贡举考试，却均以失败而告终，只得黯然返回宣城。经过几年苦读，屡屡受挫的韩愈决意再度前往长安一试身手！

贞元八年（公元 792 年），第四次参加进士科考试的韩愈如愿高中。不过按照规定，贡举及第者通常要守选三年。可生活一向拮据的韩愈却根本等不了那么久，一心想着尽快获得官职，改善家庭的经济状况。

韩愈报名参加了科目选，科目选是在常规铨选之外建立的一种选官形式，像科举那样分科目举行考试。韩愈选择的科目是博学宏词科，既要求应试者拥有广博的知识，还要求有极高的文学造诣。考试内容是按照要求写三篇文章，通常是诗、赋、论各一篇（因此被称为“三篇”），与进士科考试形式并无太大差异，但竞争却要激烈许多。究其原因，一方面是因为参加科目选的要么是科举及第者，要么是在职官员，水平远在参加贡举的考生之上；另一方面是因为博学宏词科每次录取名额极少，一般只录取三人，个别年份只录一人或者干脆空缺，而进士科每年录取名额通常会在二十至三十人，最少也有十余人。

由于博学宏词科竞争极其激烈，韩愈虽是满怀期待，最终却未能如愿。此后他又连续参加了两次博学宏词科考试，却均以失败告终。

韩愈曾这样评价自己的青年时代：“四举于礼部乃一得，三选于吏部卒无成。”韩愈可谓“屡败屡战”，相反，无论是进士科还是制举，王昌龄均是一举高中。由此可见，韩愈并非天分极高之人，若单纯论天分无疑要逊王昌龄一筹。

很多人说努力决定一个人的下限，天分决定一个人的上限，可考场失意的韩愈最终却成为高官，而考场得意的王昌龄一辈子都只是县丞、县尉这样的小官，这说明只要肯努力，未来无极限！

不过此时的韩愈还觉得美好的未来似乎遥不可及，沮丧地离开了长安，回到了自己的家乡河阳县，经过短暂休整后前往东都洛阳。那里是权贵名流会聚之地。他努力地在那里寻找机会，很快便如愿寻到了。

贞元十二年（公元796年）七月，宣武节度使董晋将韩愈招至麾下。二十九岁的韩愈获得了此生第一个官职——试秘书省校书郎、宣武节度使观察推官。

在担任观察推官的三年时间里，韩愈在辛勤工作之余还悉心栽培李翱、张籍等文学青年，极力宣传自己对散文革新的主张，被后世尊为“唐宋八大家”之首！

贞元十五年（公元799年）二月，宣武节度使董晋病逝，韩愈护送着董晋的灵柩离开宣武镇治所汴州。仅仅四天后，宣武军便发生兵变，节度留后陆长源等人被杀，军中一时间大乱，韩愈因提早离开而侥幸逃过一劫。

同年秋，韩愈前往徐州，改投到徐泗濠节度使张建封麾下效力。他的新职务为试协律郎、节度推官，虽然干的依旧是判官的活儿，但品级却从九品升至八品。

当年冬天，张建封派遣韩愈前往长安公干。一向直率坦诚的韩愈从不畏惧什么，也不回避什么，更不会逢迎什么，以至于得罪了人还不自知。

次年春，韩愈从长安返回徐州，张建封对他此番长安之行却很不满意，韩愈也不得不离开徐州另寻出路。

初入官场的韩愈始终郁郁不得志，为此专门写了《马说》：“世有伯乐，然后有千里马。千里马常有，而伯乐不常有。”他极度渴望能够早日遇到此生的伯乐，这样自己这匹千里马才能腾空而起，一跃千里！

韩愈前往长安参加吏部组织的铨选，此前屡屡受挫的韩愈此番仍不顺利，落选一次后，第二次才选上。很快，他被任命为国子监四门博士，也就是专门教授四门学的老师。

唐朝最高学府国子监设国子学、太学、四门学、律学、书学和算学六学，均由博士、助教讲授相关知识。其中，国子学、太学与四门学主要讲授儒家经典，培养复合型人才；律学、书学和算学分别讲授法律、书法和算术，培养专门型人才。

一贯热爱教育的韩愈很喜欢教师这份工作，曾专门撰写《师说》，阐述老师的责任就是传道授业解惑，“弟子不必不如师，师不必贤于弟子，闻道有先后，术业有专攻，如是而已”。

不过韩愈的教师生涯却并未维持多久。他很快便升任监察御史，仕途前景一片光明，后来却因仗义执言而前途尽毁。

当时关中地区大旱，韩愈经过实地察访后发现灾民流离失所，四处乞讨，以至于关中饿殍遍地。京兆尹李实却严密封锁消息，谎称关中粮食丰收，百姓安居乐业。这个李实绝非寻常人，乃是高祖皇帝李渊第十六子道王李元庆的四世孙，当时为嗣道王。他自恃皇室宗亲，又是皇帝宠臣，刚愎自用而又目无国法。

卖唱艺人成辅端见到关中大旱后惨绝人寰的景象，愤然作诗道：“秦地城池二百年，何期如此贱田园。一顷麦苗硕伍米，三间堂屋二千钱。”李实诬陷成辅端肆意诽谤朝廷政事，残忍地将他处死。

目睹如此严重的灾情，韩愈也是痛心不已。他丝毫不畏惧李实的权势，毅然决然地给德宗皇帝呈上了《御史台上论天旱人饥状》，谁知却反遭李实陷害，于贞元十九年（公元 803 年）十二月被贬为阳山县县令。

韩愈在阳山县度过了一年多的贬谪岁月，之后改授江陵府（今湖北荆州）法曹参军，后被召回长安担任国子博士。

那日，年轻后生牛僧孺惴惴不安地来到韩愈家中行卷。韩愈很是欣赏他的作品。恰巧另一位后生皇甫湜也在。皇甫湜拜在韩愈门下，两人亦师亦友。

经过一番商议，三人定下了包装炒作牛僧孺的方案。牛僧孺在熙熙攘攘的客户坊中的一座寺庙租了一个小院，一场好戏即将上演。

那日，牛僧孺按照约定若无其事地前往青龙寺游玩，韩愈、皇甫湜专挑这一日前去拜会他。在来的路上，两人还刻意招摇过市，吸引了很多人关注的目光。

两人来到牛僧孺租住的那处院落门前，用力敲击门板，但院内却始终无人应答，于是便在门上贴了一张纸条，上写：“韩愈、皇甫湜同谒几官前辈不遇。”此事顿时便在长安城内传开了：文学大师韩愈居然主动前去拜会名不见经传的牛僧孺，想必这个牛僧孺也绝非等闲之辈！

寂寂无名的牛僧孺很快便在长安城中名声大噪。贞元二十一年（公元805年），年仅二十五岁的牛僧孺进士及第，后来在穆宗朝、敬宗朝、文宗朝三朝为相，成为赫赫有名的牛党党魁。

当时改革浪潮与古文运动正如火如荼地进行着，韩愈、柳宗元等人都曾不遗余力地提携后辈，以荐贤任能为己任，借此来实现自己的政治理想和文学主张。

韩愈曾在《与凤翔邢尚书书》中写道："布衣之士，身居穷约，不借势于王公大人，则无以成其志；王公大人，功业显著，不借誉于布衣之士，则无以广其名。是故布衣之士，虽甚贱而不谄，王公大人，虽甚贵而不骄，其事势相须，其先后相资也。"韩愈将行卷双方都描绘得很高大上：寒门子弟借助王公大人之势实现自己的理想，虽然出身卑贱却并不谄媚；王公大人借助推荐贤才来提高自身的声誉，虽然高贵却并不骄纵。韩愈的论断未免太过理想化了。

韩愈在长安待了不久便又去了洛阳。自从玄宗皇帝李隆基之后，唐朝皇帝几乎不再巡幸东都洛阳，那些分司东都的官员大多混吃等死，可韩愈却是个闲不下来的人，于是很快被朝廷任命为京县河南县县令。

元和六年（公元811年），韩愈被召回朝中担任职方员外郎，后改任国子博士。韩愈认为自己才学高深，却屡遭贬斥，于是便写下《进学解》，表面上是用"业精于勤，荒于嬉；行成于思，毁于随"鼓励学生们在学业和品行上不断精进，还说自己"动而得谤，名亦随之"，也就是说自己动辄遭受诽谤，却名声益彰。实际上他是反话正说，暗喻自己怀才不遇，不得重用。

宰相们看到《进学解》后也颇为同情韩愈，于是提拔他为比部郎中，还命他为史馆修撰，奉命修撰《顺宗实录》。比部郎中的官阶看似比国子博士低一些，却是人人艳羡的实权派。

元和十一年（公元816年）正月，韩愈升任中书舍人，获赐绯鱼袋，仕途前景一片大好。不过素来性情耿直的韩愈却因快人快语而得罪了不少同僚，这些人眼见着韩愈接连升迁，心中自然充斥着羡慕嫉妒恨，于是竞相爆起了他的黑料。

韩愈担任江陵府法曹参军时，荆南节度使裴均总是以礼相待。但这个裴均在朝野间的口碑并不好，以财物交结权贵任将相十余年，荒纵无度，声名狼藉，人所不齿。他的儿子裴锷更是平庸俗气，曾携带一万匹细绢到宰相韦贯之家中求其为父亲撰写碑文。韦贯之却不屑一顾道："我宁愿饿死，也不愿做此等事！"

可韩愈却偏偏与裴锷走得很近。有一次裴锷回家看望父亲裴均，韩愈还专门作了一篇序文为其饯行，文中直呼裴锷的字，这是彼此关系亲密的一种表示。韩愈因甘于与裴均、裴锷父子为伍而遭到朝中群臣的攻击讥笑，也就此陷入舆论旋涡之中而难以自拔。朝廷只得免去其中书舍人之职，令其改任太子右庶子。

元和十二年（公元817年），此时淮西之战已然打了三年之久，朝廷财政状况本就捉襟见肘，又因饱受战争拖累而苦不堪言。为了尽快结束战争，宰相裴度被任命为淮西宣慰处置使、彰义军节度使，韩愈担任行军司马，一同前往淮西前线。

韩愈建议裴度派精兵千人从小路进攻蔡州，或许能一举擒拿犯上作乱的淮西节度使吴元济，可裴度还未实施，名将李愬便已趁着雪夜攻下了蔡州，一举擒获吴元济，韩愈也就此失去了一个扬名的机会。

不过韩愈却并未感到太过惋惜，他对裴度说："如今挟平定淮西的余威，我们不用刀兵便可迫使成德节度使王承宗就范。"韩愈口授了一封致成德节度使王承宗的书信，派人送交王承宗，王承宗果然慑于兵威上表愿意归附朝廷。

韩愈追随裴度风风光光地回朝，因功升任刑部侍郎。淮西之战成为大唐中兴的关键一战，为了纪念这场意义深远的大捷，宪宗皇帝李纯特地命韩愈撰写平淮西碑的碑文。

在碑文中，韩愈用很大篇幅为裴度歌功颂德，竭力渲染裴度"功居第一"的地位。雪夜下蔡州的李愬自认为在平定淮西时自己功劳最大，对韩愈所写碑文愤愤不平。

据史书记载，李愬之妻为宪宗皇帝姑母唐安公主之女，其实唐安公主当年虽与韦宥定下婚期，但还未及成婚便去世了，不过韦宥的驸马身份却得到了朝野的认可，因此韦宥妻妾所生子女都尊奉唐安公主为嫡母，其实却并无血缘关系。

李愬之妻入宫哭诉碑文与事实严重不符，宪宗皇帝下令磨掉韩愈所写碑文，命翰林学士段文昌重新撰写碑文。其实此事并没有表面那么简单。

淮西被平定后，淄青节度使李师道变得惶惶不可终日。在幕僚的劝说之下，李师道派遣使者上表，请求准许他的长子入朝侍卫，并且献出沂州、密州、海州三州，宪宗皇帝随即应允了他的请求。

可在妻子魏氏的劝说之下，李师道很快又改了主意。魏氏不愿让自己的儿子入朝充当人质，于是便说，淄青镇兵力多达十余万，即便朝廷派遣兵马前来讨伐，倘若尽力接战不胜再献上三州也不太迟。李师道最终听从了妻子的话，也失去了与朝廷和解的最后机会！

元和十三年（公元 818 年）五月十三日，宪宗皇帝任命李光颜为义成节度使，并派河阳节度使乌重胤向北移驻河阳三城。七月，他又任命李愬为武宁节度使。这实际上是为随后的军事讨伐做准备，三人都是征讨淮西的大功臣，如今讨伐淄青还得依仗他们，这才是宪宗皇帝决意更改碑文内容最主要的原因。

到底是韩愈有意偏袒裴度，还是李愬小肚鸡肠？韩愈与段文昌所写碑文究竟孰优孰劣，已然成为一桩公案，但此事给韩愈的声誉带来了严重的损害。不过令韩愈更加难以接受的事却接踵而至！

元和十四年（公元 819 年）正月，宪宗皇帝派使者前往凤翔奉迎佛骨，要将佛骨入宫供养三日，长安也就此掀起了一股崇佛的狂潮。信徒们为了崇佛不惜倾家荡产，甚至割肉献佛。

见到信徒们如此狂热，韩愈不顾个人安危，毅然献上《论佛骨表》，大声疾呼抑制佛教，以免天下人被佛骨所误导。

韩愈此举虽勇气可嘉，却并未进行换位思考。尊崇佛教是大唐多年来的传统，况且当时宪宗皇帝刚刚取得削藩之战的胜利，政治改革也颇有成效，未免有些洋洋得意，因追求长生不老而好仙信佛，韩愈此举无异于给他当头浇了一盆凉水。而且且韩愈还直言信佛的帝王全都短命，这带着诅咒意味的大不敬之语，即使换作常人恐怕都难以接受。韩愈的建议也比较过激："乞以此骨付之有司，投诸水火，永绝根本，断天下之疑，绝后代之惑。"若是果真如他所言硬生生毁掉了佛骨，势必会引发佛教徒的骚乱，甚至是暴动。

韩愈的劝谏虽有许多可取之处，却言辞激烈，做法极端，很难让人接受。龙颜大怒的宪宗皇帝想要用极刑处死韩愈，在裴度等人的极力劝谏下，宪宗皇帝的怒气才渐渐消散了些，但还是将韩愈贬为潮州刺史。

韩愈抵达潮州后上表为自己辩白。好在宪宗皇帝是唐朝后期为数不多的几个明君之一，事后他也能或多或少地体尝到韩愈的良苦用心，流露出重新起用韩愈之意。

宪宗皇帝召集宰相们议事时说："昨日收到韩愈上表，他谏迎佛骨之事，实是爱护朕，朕又岂会不知呢？可韩愈身为人臣，不应说人主奉佛便位促寿短，这分明是在诅咒朕！"

宰相皇甫镈自然能听出皇帝的弦外之音，但他早就对心直口快的韩愈心生不悦，抢先回答说："韩愈终究还是太过狂放粗疏了，不过却可以考虑将其调到别郡！"

后来，韩愈从偏远的潮州调往江南腹地袁州担任刺史。按照袁州风俗，当地生活难以为继的老百姓会将自己的子女抵押给他人做奴婢，如果超过契约规定的期限而不赎回，便会没为家奴。韩愈到任后设法赎出那些被没为家奴的男女，让他们重新回到父母的身边，还大力禁止人口买卖的不良习俗。

元和十五年（公元 820 年）冬，韩愈回到长安，此番回京担任国子祭酒，也就是国子监的一把手。

韩愈是个爱才惜才之人，时常会凭借自己在政坛尤其是在文坛的巨大影响力，不遗余力地提携那些才华横溢的晚生后辈，无论是李贺还是牛僧孺，无论是孟郊还是贾岛，都曾得到过他的举荐。

不过，随着壮志未酬的宪宗皇帝李纯被宦官谋害，大唐的中兴之梦也就此彻底破灭，政治日趋黑暗，寒门考生们想要通过行卷来获得那些素不相识的达官贵人、名人名士的赏识甚至帮助，进而及第成名，虽然并非毫无机会，却也变得越来越难，与此同时，世代为高官的政治世家却变得越来越多！

新即位的穆宗皇帝李恒终日只知打猎游乐，观赏歌舞，纵情女色，刚刚显露出中兴气象的大唐却根本经不起折腾！

当年十一月，成德节度使王承宗带着无奈、悔恨、不安和惶恐去世了，谁将会成为继任者让穆宗皇帝犯了难。在他的眼中，似乎只有魏博节度使田弘正是最合适的人选——他的军事才华不容置疑，在河北的威望也不容置疑，关键是他对大唐坚定的忠诚更是不容置疑。然而，穆宗皇帝却对这项人事任命背后潜藏的巨大风险估计不足。

虽然成德、魏博两镇之前在联合对抗朝廷时经常狼狈为奸，可两个藩镇之间却也有着刻骨铭心的仇恨，几十年来双方时常兵戎相见，仇怨很深。

历史的恩怨与现实的仇恨使得田弘正的履职之路危机四伏，险象环生，但他却是在阴谋和兵变中成长起来的，是一个善于斗争的老手。遗憾的是，穆宗皇帝的漠然和宰相的愚蠢最终葬送了他付出的所有努力，也将宪宗皇帝呕心沥血十五年换来的中兴局面毁于一旦。

田弘正率领两千名魏博士卒随同自己一同赴任，还奏请朝廷供给这两千人的军饷。此时的朝廷正大力压缩财政开支，魏博、成德两镇各自拥有所属部队，如果这个先例一开，朝廷势必会凭空增加一大笔财政支出，于是被朝廷硬生生拒绝了。田弘正迫不得已遣返了魏博兵，但危险很快便来临了。

田弘正的亲眷们在长安、洛阳两地过着奢靡的生活，他一向厚待亲人，时不时便会给他们运送些生活用品。成德镇将士对此颇为不满，穆宗皇帝下诏赏赐给成德镇将士的一百万缗钱又迟迟未能运达，成德都知兵马使王廷凑经常借小事挑拨节度使与将士们的关系，不过由于两千魏博兵尚在，他并不敢贸然行事，可等到那些魏博兵被遣返回本镇，王廷凑便露出了狰狞的真面目。

七月二十八日夜，王廷凑率叛乱兵士将田弘正及其僚佐、随从将吏和家属三百多人残忍杀害，自称成德镇留后。

朝廷调集大军讨伐王廷凑，不仅未能平定叛乱，深州刺史牛元翼部还被包围于深州城内。长庆二年（公元 822 年）二月，朝廷无奈之下只得赦免了王廷凑，任命已然担任兵部侍郎的韩愈为宣慰使，前往成德镇治所镇州，希望通过妥协来稳定河北局势。

韩愈此次镇州之行可谓危机四伏，元稹听后不禁叹息道："韩愈真是可惜了！"穆宗皇帝也意识到了此行的凶险，下诏命韩愈抵达藩镇界后不要急于进入，观察形势变化后再做定夺，以防不测。韩愈却铿锵有力地回禀："皇上命微臣暂停进入，虽是在关怀微臣的人身安危，但微臣毫不畏死地去执行君命乃是做臣子的本分！"

刚刚抵达镇州，韩愈便被一群手持利刃的士卒团团围住。面对凶神恶煞般的叛军士卒，韩愈虽是一介书生，却毫不畏惧，狠狠瞪向身旁的王廷凑。

王廷凑假装无奈道："这并非在下本意，乃是他们擅自行事！"

韩愈回击道："皇上认为你有将帅之才，想要任命你为节度使，想不到你竟指挥不动手下士卒！"

韩愈若无其事地走进屋内，那些士卒仍旧不依不饶，居然跟了进来，其中一个领头的高声道："先太师（指之前的节度使王武俊）为朝廷击退叛贼朱滔，他的血衣仍在这里。我们有什么地方辜负了朝廷，以致被当作叛贼来征讨？"

韩愈铿锵有力道："难得你们还记得先太师，他也曾参与叛乱，后来却归顺朝廷，加官晋爵，转危为安！从安禄山、史思明到吴元济、李师道，这些割据一方的乱臣贼子，他们的子孙还有存活之人吗？"

众人回答："没有！不过田弘正一向刻薄，我们杀他也实属无奈！"

韩愈说："你们害死田公，又残害他家，这是何道理？"

见众人沉默不语，王廷凑赶忙将他们全都斥退，试探道："不知韩侍郎此番前来所为何事？"

韩愈说："如今朝廷已然有意任命你为节度使，可你却将牛元翼围困在深州，你究竟是何居心？"

王廷凑赶忙道："我马上便放他们出城！"

韩愈在出使镇州期间虽表现出大无畏的精神，却也无力改变河北局势。这不是他个人的悲哀，而是一个时代的悲哀。河北地区刚刚回到朝廷怀抱便不得不再度被分离出去，直至唐朝覆亡也未曾再回到朝廷的怀抱！

长庆二年（公元822年）九月，韩愈转任吏部侍郎。之前吏部的大门时常锁着，等待朝廷任命的官员们因此不敢到吏部来。韩愈上任后将门锁统统打开，任凭候选官员自由出入。他说："人们之所以怕鬼，是因为见不到鬼；如果能够看见鬼，那么人们就不会再怕鬼了。"

次年六月，韩愈转任京兆尹兼御史大夫。一贯飞扬跋扈的神策军将士闻讯后不敢像之前那样飞扬跋扈，私下里议论道："他曾经连佛骨都敢烧，我们怎敢犯法呢？"

韩愈上任不久便因不曾参谒宦官而被御史中丞李绅弹劾，但韩愈却称此举经过了穆宗皇帝的恩准。二人你来我往，争辩不止。宰相李逢吉趁机奏称二人关系不合，朝廷便将李绅调任浙西观察使，韩愈也改任兵部侍郎。不久后，穆宗皇帝得知了其中缘由，再次任命韩愈为吏部侍郎。

长庆四年（公元 824 年）八月，韩愈因病告假。同年十二月二日，他在长安靖安里的家中安然辞世，终年五十七岁。韩愈出身寒微，性情耿直，屡遭贬谪，最终却位居侍郎之位，已然是上天对他极大的眷顾了！

宋代大文学家苏轼曾这样称赞韩愈："匹夫而为百世师，一言而为天下法……文起八代之衰，而道济天下之溺；忠犯人主之怒，而勇夺三军之帅……"

韩愈倡导古文运动，重振天下文风，使得从东汉至隋朝八代以来的衰败文风得到振兴；恢复儒学道统，使得沉沦的天下人心得到拯救；忠君爱国，不惜犯颜直谏，即便粉身碎骨也要捍卫心中理想；虽是一介书生却曾单刀赴会，智勇超过了三军统帅。苏轼从文学、思想、道德、军事四个维度都给予了韩愈极高的评价，说韩愈虽是一个普通人，却成为千百代的榜样，即便是一句话，都能成为天下人效法的准则！

在最美的时刻凋谢——柳宗元、刘禹锡

柳宗元与韩愈携手推动古文运动，并称为“韩柳”；柳宗元又与王维、孟浩然、韦应物同为山水田园诗派的代表人物，并称“王孟韦柳”；不过与柳宗元关系最密切的却当属刘禹锡，并称“刘柳”。

刘、柳两人一同进士及第，一同任监察御史，一同参与永贞革新，一同远贬南方，又一同回朝，然后一同再度被贬，最终只有刘禹锡一人得以回朝，柳宗元却再也未能回来。虽然两人之间有很多相同点，却也有不同之处：柳宗元的诗风雄豪苍劲，刘禹锡的诗风却峭拔简洁。

贞元九年（公元 793 年），进士科放榜后，两个金榜题名的考生激动得欢呼雀跃，一个是二十一岁的柳宗元，另一个是二十二岁的刘禹锡。

柳宗元的父亲为河东柳氏，母亲为范阳卢氏，无论父族还是母族均是当时首屈一指的名门望族，族中子弟世代为官，柳宗元也因此被称为“柳河东”。柳宗元于大历八年（公元 773 年）出生于京城长安，幼年时随母亲卢氏在京西庄园中生活，母亲的启蒙教育使得他自幼便对未知的世界充满了求知欲。

刘禹锡比柳宗元大一岁，与刘备一样都自称是中山靖王刘胜之后，不过他的祖父和父亲却都只是微不足道的小官。父亲刘绪为避安史之乱迁居苏州，刘禹锡的童年生活也因此在苏州度过。

贡举及第后往往都要守选，进士科及第者通常要守选三年，在漫长的守选期内并没有参加铨选的资格，以至于两人生活落魄，处境堪忧。

为了能早日当上官，两人选择了同一条路。刘禹锡进士及第两年后参加科目选博学宏词科，高中后被授予太子校书；三年后，柳宗元也参加了科目选博学宏词科，高中后被授予集贤殿正字。此番两人之所以未能同步是因为柳宗元进士及第不久父亲便去世了，只得在家丁忧三年之久。

两人虽然一个在东宫、一个在中书省，但从事的工作却是一样的，都是校正典籍、刊正文章。不过就在仕途刚刚起步之际，柳宗元却因仗义执言而惨遭贬谪。

贞元十四年（公元 798 年），太学生薛约因议论朝政而获罪，走投无路之际逃入国子司业（即国子监二把手）阳城的府上。阳城为当世名士，谦恭简素，德行出众，又一向爱惜人才。阳城留薛约在府上吃饭饮酒，然后步行将其送至郊外。德宗皇帝李适得知此事后认为阳城勾结朋党，于是将他贬黜出京。

此事瞬间便引爆了舆论，太学生们纷纷为阳城的悲惨遭遇而打抱不平，甚至到宫门前为阳城请愿。柳宗元得知此事后义愤填膺地写了一封公开信《与太学诸生喜诣阙留阳城司业书》，声援那些在宫门口请愿的太学生。

柳宗元这个血气方刚的小伙子秉承着从政初心，不惜以满腔热血来捍卫心中信仰，即便头破血流也在所不惜，但最终却被贬为蓝田县县尉。

而在柳宗元遭遇贬谪之前，刘禹锡已因父亲去世而被迫去职，只得辞官丁忧回家，直到贞元十六年（公元800年），他才被淮南节度使兼徐泗节度使杜佑征辟为掌书记，通过“入幕”的方式重新回到官场之中。

贞元十八年（公元802年），刘禹锡调任京兆府渭南县主簿，不久后升任监察御史。一年后，柳宗元也从蓝田县调来御史台任监察御史。韩愈则从四门博士升任监察御史，他比两人大四五岁，也算是年岁相当。三位才华横溢而又惺惺相惜的青年御史彼此情投意合，就此结下了深厚情谊。

此时正值德宗朝末期，三人对当时黑暗的政治有了更为深刻的认识，逐渐萌发了改革的强烈愿望。身为太子侍读的王叔文时常流露出改革政治的强烈意愿，又深得太子李诵的赏识，自然也受到了三位青年官员的拥戴。

可就在这个当口，韩愈却因勇于揭露长安周边地区大旱的真相而触怒了权贵，被贬为阳山县县令，却也因祸得福地躲过了之后的那场惨烈的政治斗争。他的好友柳宗元与刘禹锡却没有他那么幸运，以至于耽误了一生！

贞元二十一年（公元805年）正月初一，诸王纷纷进宫来给六十四岁的德宗皇帝李适问安，庆贺新一年的到来，但人群之中唯独没有太子李诵的身影。

去年九月，四十五岁的太子李诵因突发中风而卧床不起。他的儿子多达二十七个，在唐朝皇帝中仅次于玄宗皇帝李隆基，或许是过度沉溺女色，或许是长达二十五年的太子生涯过得实在太过压抑，还未及登基身子骨便垮了！

正月二十三日，德宗皇帝李适驾崩，太子李诵终于登上了权力巅峰，史称“唐顺宗”。他刚一登基便迫不及待地想要施展自己的政治抱负，随即开展了声势浩大的“永贞革新”运动。

针对宦官，革新派削其财源，夺其军权，去其党羽，取消宫市，白居易的《卖炭翁》反映的便是宦官们以宫中采买为借口巧取豪夺。废除“五坊”，也就是皇帝养雕、养鹘、养鹞、养鹰、养狗的地方，裁减宫中闲杂人员，削减宦官数量。革新派还任用老将范希朝为京西神策诸军节度使，以韩泰为神策行营行军司马，企图将禁军军权从宦官手中夺回来。

不过顺宗皇帝此时却已然沦为一个废人，具体政事全都委托给亲信王叔文，可王叔文又偏偏是志大才疏之辈，低估了盘根错节的宦官们的势力。为了捍卫既得利益，宦官们开始了疯狂反扑，迫使已经因中风而不能言语的顺宗皇帝将皇位禅让给太子李纯。提前登基的宪宗皇帝也因此对宦官心存感激，以至于宦官势力渐成尾大不掉之势，不仅他自己丧命于宦官之手，即便是他的后世儿孙也遭受到宦官们的胁迫欺凌。

“永贞革新”仅仅维持了146天便以失败而告终，王叔文被赐死，王伾被贬后病故。革新派其他重要成员中，韩泰、陈谏、柳宗元、刘禹锡、韩晔、凌准、程异、韦执谊等八人先后被贬。之后，唯有程异因善于理财很快便被宪宗皇帝召回朝中，后来还升任宰相；其他七人均长期在偏僻之地任职，只有刘禹锡一人看得开，活得长，最终得以还朝，剩余六人均凄凉地死于贬所。

柳宗元先被贬为邵州刺史，还未到任便再被贬为永州司马；刘禹锡先被贬为连州刺史，也是尚未到任所便被贬为朗州司马。无论是永州（治今湖南永州）还是朗州（治今湖南常德），均远离中原腹地，属于尚未完全开化之地，生活环境异常艰苦。

柳宗元到任后并未住在官舍之中，而是被安排在龙兴寺，紧接着他的母亲便去世了。在双重打击之下，柳宗元的心情也失落到了极点，郁郁寡欢，百病在身，身心疲惫，更惨的是他住的地方竟接连发生了四次火灾，使得他一度无处栖身。

千山鸟飞绝，万径人踪灭。

孤舟蓑笠翁，独钓寒江雪。

柳宗元在永州期间创作的这首《江雪》描绘了一个幽静寒冷的世界。山上是雪，路上是雪，江中是雪，小舟上是雪，舟上老翁的身上也是雪。在这个天寒地冻的大雪天，天地间万籁无声，没有人，没有鸟，只有一个不畏严寒的渔翁独自在江心垂钓。他清高而又孤傲，不怕天冷，不怕雪大。其实这个老翁就是柳宗元自己，身处逆境却依然坚守本我！

随着时间的推移，柳宗元渐渐走出了贬谪的阴影，全身心地投入到哲学、政治、历史、文学的钻研之中，游历永州山水，结交当地士子，写下了千古名篇《捕蛇者说》，透过蒋氏祖孙三代明知捕蛇凶险却又不得不为之的悲惨遭遇，深刻揭示了苛政之毒比蛇毒还要毒，发出了“孰知赋敛之毒，有甚是蛇者乎”的感慨，可谓与孔子“苛政猛于虎”的思想一脉相承。

其实刘禹锡在朗州的住宿条件也很差，不禁会让人想起那篇妇孺皆知的《陋室铭》，清新中蕴含高远，优美中隐含高雅。而在这篇《陋室铭》的背后，还有一段刘禹锡三度搬家的精彩故事。

刘禹锡来和州任职后先被安排在偏僻的城南，虽不繁华，却是面江而居，于是在门上贴了一副对联：“面对大江观白帆，身在和州思争辩。”和州的官员们看到后很是生气，于是责令刘禹锡从城南迁居到了城北，居住面积也从原来的三间减少到一间半。刘禹锡的新居位于德胜河边，河水潺潺，垂柳依依，于是他又在门口贴了一副对联：“垂柳青青江水边，人在历阳心在京。”和州的官员们见状只得将他安排在城中，却只给了他一间房，只能容下一床、一桌与一椅。刘禹锡愤然写下了那篇《陋室铭》，并请人刻在石碑上，立在大门前。

刘禹锡被逼三次搬家，可见其当时处境之艰难。不过这个故事虽然精彩，却漏洞百出。刘禹锡在和州任职时距离“永贞革新”被贬已然过去了十九年之久，当时身为一州之刺史，州内官吏即便再狂妄也不敢如此欺压州里的一把手。若这个故事并非后人杜撰，也只能发生在刘禹锡在朗州任职期间，因为他此后辗转连州任职时便已然升为刺史。

知识小贴士:《陋室铭》的作者居然另有其人?

虽然《陋室铭》的作者为刘禹锡已然成为人们的普遍共识，但其实《陋室铭》究竟是何人所作一直存在着争议，最主要的原因是唐朝各个版本的刘禹锡文集中都没有收录《陋室铭》，到了南宋后期编纂《古文集成》时才将《陋室铭》的著作权归属于刘禹锡，清朝吴楚材、吴调侯编纂《古文观止》时沿用了《古文集成》的说法,《陋室铭》为刘禹锡所作就此成为定论。

不过近来却有许多学者对这个论断提出了疑问。比如《陋室铭》中有“谈笑有鸿儒，往来无白丁”的句子，也就是说与作者交往的都是官员，而朝廷严格限制贬谪官员与当地官员的交往，这句话似乎与刘禹锡当时的身份并不太相符。有的学者认为《陋室铭》与刘禹锡在朗州所作其他诗文文风有着明显的不同。其实早在北宋时期，文学大家智圆和尚便认为:“俗传《陋室铭》谓刘禹锡所作，谬矣!”

唐代著名文学家、书法家颜真卿撰写的《崔孝公宅陋室铭记》记载:“(崔沔)为(左散骑)常侍时，著《陋室铭》以自广。”《新唐书》记载:“(崔)沔俭约自持，禄禀随散宗族，不治居宅，尝作《陋室铭》以见志。”崔沔虽屡任要职，却生性淡泊；虽身居高位，却生活俭朴，曾写下《陋室铭》自喻，这是有充分史料依据的。不过崔沔创作的《陋室铭》原文却并未流传下来，使得我们无法判断他所作《陋室铭》与如今我们所熟知的《陋室铭》是不是同一篇文章，但若认定刘禹锡就是《陋室铭》的作者，史料依据又明显不足，因此这场争论还将会持续下去!

由于地处偏僻，又交通不便，柳宗元与刘禹锡只能通过书信与远方的好友们保持联络。不过书信来往最为频繁的还是他们两人，无论是谁写了新文章，往往都会请对方指点，此外他们还时常与韩愈切磋技艺、辩论是非，成为文学史上的一段佳话。

元和十年（公元 815 年），贬谪湖南十年之久的柳宗元与刘禹锡几乎同时接到了朝廷征召回朝的诏书，于是两人怀着极其激动的心情上路了。经过一个多月的艰难跋涉，他们终于回到了熟悉而又陌生的长安，谁知到头来却是空欢喜一场！

当时正值春日，刘禹锡到长安城中的玄都观去游玩，见观内桃花灿烂如霞，不过很多桃树都是刘禹锡离京后栽种的，顿时便生出物是人非之感，于是写道：

“紫陌红尘拂面来，

无人不道看花回。

玄都观里桃千树，

尽是刘郎去后栽。”

这首诗看似是刘禹锡观花时的所见所闻所感，但若是结合他的悲惨遭遇与当时的政治背景，便会发现他实际上是借看花另有所指。“千树桃花”暗指他离开京城后那些靠投机取巧爬上来的政治新贵，“看花人”是指那些趋炎附势之徒，“紫陌红尘拂面来”更是讽刺权贵们绞尽脑汁向上攀爬。离京十年后，刘禹锡此番回京，眼见那些政治新贵把持朝政，满腔怒火却无处发泄，只好借看花来一吐心中的不快。

直到十四年后，刘禹锡被任命为主客郎中，才得以重回长安。不过此时玄都观中却已是一片萧然，再无桃树，颇有几分你方唱罢我登场的意味。于是他有感而发地写下了《再游玄都观》：

“百亩中庭半是苔，

桃花净尽菜花开。

种桃道士归何处，

前度刘郎今又来。”

“前度刘郎”这个成语便是由此而来，泛指似刘禹锡这样去了又来的人！

因诗作触怒了那些敏感多疑而又心胸狭窄的权贵，刘禹锡与好友柳宗元也因此没能如愿留在朝中，继续贬谪远方。刘禹锡被远贬为播州刺史，他的好友柳宗元也被远放为柳州刺史。

播州地处群山环绕之中，交通不便，瘴气横行，环境恶劣，刘禹锡尚有八十岁老母亲，若是带上母亲同行，母亲又岂能受得了这份苦？如果不带，年事已高的母亲若是有个三长两短，自己岂不是会遗憾终生？

思来想去，柳宗元斗胆给宪宗皇帝写了一封奏疏，恳请自己与刘禹锡职务对换：如今他孤身一人，即便是去再偏僻艰苦的地方也无所谓，足见两人感情之深厚。不过在裴度等人的积极奔走呼吁之下，刘禹锡最终改任连州刺史。

两人怀着极其失落沉痛的心情前去赴任，不知此番离开长安几时才能再回来？还能否再回来？两人一路同行来到湖南衡阳，随后便要各奔东西了，柳宗元挥泪写道：

十年憔悴到秦京，谁料翻为岭外行。

伏波故道风烟在，翁仲遗墟草树平。

直以慵疏招物议，休将文字占时名。

今朝不用临河别，垂泪千行便濯缨。

刘禹锡也哽咽着写道：

去国十年同赴召，渡湘千里又分歧。

重临事异黄丞相，三黜名惭柳士师。

归目并随回雁尽，愁肠正遇断猿时。

桂江东过连山下，相望长吟有所思。

两人一个向东行，一个向西去，却与他们魂牵梦绕的长安渐行渐远，曾经的一切渐渐湮没在他们记忆最深处。他们同是沦落天涯的可悲人，相识相知相交却永难再相逢！

元和十四年（公元819年），宪宗皇帝李纯下定决心征召柳宗元回京，可诏书还未及下达，柳宗元便病逝于柳州，享年四十七岁。

就在这一年，刘禹锡也离开了生活四年之久的连州，因为他的老母亲去世了，于是辞官回家丁忧，这对难兄难弟真可谓同病相怜！

长庆元年（公元821年）冬，刘禹锡复出后出任夔州刺史，后改任和州刺史。他在夔州任职期间非常喜爱当地一种边舞边唱并用鼓和短笛伴奏的民歌形式——竹枝词，于是便写下了那首脍炙人口的诗歌：

杨柳青青江水平，闻郎江上唱歌声。

东边日出西边雨，道是无晴却有晴。

“东边日出”是“有晴”，“西边雨”是“无晴”。“晴”和“情”谐音，“东边日出西边雨”表面上说的是“有晴”与“无晴”，实际上说的却是“有情”与“无情”。这首诗写得含蓄而又明快，也透着刘禹锡对未来美好生活的向往。

宝历二年（公元 826 年），刘禹锡卸任和州刺史后北归洛阳，在扬州意外遇到了好友白居易，两人开怀畅饮。刘禹锡微醺中屈指一算，不禁发出了“巴山楚水凄凉地，二十三年弃置身”的感慨。

刘禹锡不知不觉间度过了长达二十三年的贬谪岁月，此时的他五十五岁了，已然从风流倜傥的青年蜕变为两鬓染霜的中年，却依然豪迈傲岸，心中的理想之火仍旧未曾彻底熄灭。

大和元年（公元 827 年），刘禹锡前往洛阳东都尚书省任职。次年，他回到长安担任主客郎中，彻底结束了漫长的贬谪岁月。

刘禹锡回京后收到了来自司空大人的宴请。这位官居一品的司空大人素来仰慕刘禹锡的才学，于是便将他邀请到家中盛情款待。刘禹锡还从未见识过如此奢靡的生活，无论是吃的还是喝的，无论是家具还是用具，无论是仆人还是歌伎，都令他瞠目结舌，于是即席赋诗道：

高髻云鬟宫样妆，

春风一曲杜韦娘。

司空见惯浑闲事，

断尽苏州刺史肠。

司空大人早就习惯了这样的生活，反倒觉得没见过什么大世面的刘禹锡有些大惊小怪，宴会结束时还特地将歌伎赠送给刘禹锡，这就是“司空见惯”这个成语的由来。

这位司空大人究竟是何人呢？主流观点认为是李绅，他也因此被扣上了“奢靡”的帽子。李绅的名气虽不太大，但那首《悯农》却是尽人皆知。

锄禾日当午，

汗滴禾下土。

谁知盘中餐，

粒粒皆辛苦。

李绅曾在武宗朝出任宰相，不过却始终未曾被授予司空之职，即便是死后追赠的也是太尉。况且就在刘禹锡回朝前后，李绅由浙东观察使改任闲职太子宾客、分司东都，后来出任宣武节度使，直到会昌二年（公元842 年）二月，在好友李德裕的举荐下，他才得以出任宰相，因此指认刘禹锡笔下的司空大人就是李绅显然是在有意抹黑他！

刘禹锡当了三年京官后再度被外放为苏州刺史，路过洛阳时，六十岁的刘禹锡再度遇到了同龄人白居易，两人置酒赋诗，白居易有感而发地写道：

刘郎刘郎莫先起，苏台苏台隔云水。

酒盏来从一百分，马头去便三千里。

刘禹锡先后在苏州、汝州、同州三州担任刺史，任所距离长安也越来越近。同州距离都城长安仅仅二百八十里，地缘政治地位极为重要，素来是拱卫京师的重要门户，这似乎预示着他回朝的日子已经不远了。

开成元年（公元 836 年），六十五岁高龄的刘禹锡终于被召回朝中任太子宾客、分司东都，后又检校礼部尚书，世称“刘宾客”与“刘尚书”。

彻底清闲下来的刘禹锡在洛阳安度晚年，与好友白居易、裴度等人交游赋诗，唱和对吟，日子虽过得闲适，但心中却还有未了的豪情。他曾在《酬乐天咏老见示》中写道：

人谁不愿老，老去有谁怜。

身瘦带频减，发稀冠自偏。

废书缘惜眼，多灸为随年。

经事还谙事，阅人如阅川。

细思皆幸矣，下此便翛然。

莫道桑榆晚，为霞尚满天。

会昌二年（公元 842 年），七十一岁的刘禹锡病逝于洛阳，即便年过七旬，他依旧将生命的尾声演奏成令人仰慕的华彩乐章！

被父亲拖累一生的鬼才——李贺

黑云压城城欲摧，甲光向日金鳞开。

角声满天秋色里，塞上燕脂凝夜紫。

半卷红旗临易水，霜重鼓寒声不起。

报君黄金台上意，提携玉龙为君死。

这首《雁门太守行》是李贺的代表作。在他的笔下，乌云压阵，两阵对峙，盔甲映日，号角声响，鼓声急促，夜色中蕴藏着冲天的杀气。红旗半卷，赶赴易水，为报君恩，手操宝剑，甘愿赴死。他将黑、紫、红、黄等各种颜色交织在一起，构成了一幅色彩斑斓的战争画卷。

李贺，字长吉，素有“太白仙才，长吉鬼才”之说，被后世尊称为“诗鬼”，与李白、李商隐并称“唐朝三李”。

贞元六年（公元790年），李贺生于河南府福昌县昌谷乡，他也因此被称作“李昌谷”。其实他比韩愈小22岁，比刘禹锡小18岁，比柳宗元小17岁，几乎差了一代人，但给人的感觉却是四人年龄相差不大，这主要是因为他去世得比较早：比柳宗元早去世3年，比韩愈早去世8年，比刘禹锡早去世26年。

李贺是郑王李亮的后裔，李亮为唐太祖李虎第八子，也就是唐朝开国皇帝高祖李渊的八叔。李贺虽属皇族，却与当今皇帝关系疏远，日子过得也很是拮据，甚至到了一日三餐都难以为继的地步，却依旧没有停止对梦想的追求。

贞元十二年（公元 796 年），李贺七岁，因写得一手好诗文而名动京城。大文豪韩愈与皇甫湜听说后饶有兴趣地前来探访，见李贺居然还是个乳臭未干的孩子，于是便出题让他写一首古风诗。

见当世文豪居然想要考自己，年纪尚轻的李贺既不惊慌也不急躁，向两人深施一礼，拿起笔来洋洋洒洒地写下那篇《高轩过》：

华裾织翠青如葱，金环压辔摇玲珑。

马蹄隐耳声隆隆，入门下马气如虹。

云是东京才子，文章钜公。

二十八宿罗心胸，九精照耀贯当中。

殿前作赋声摩空，笔补造化天无功。

庞眉书客感秋蓬，谁知死草生华风。

我今垂翅附冥鸿，他日不羞蛇作龙。

韩愈看后不禁惊叹道：“天才，真乃天才！果然名不虚传！”小李贺的诗名从此传遍天下，被誉为当世之奇才。

李贺对诗歌创作简直到了极度痴迷的程度，即便是骑着那匹瘦马外出时仍在冥思苦想，一旦想起佳句或是来了创作灵感，他便会记下来，投进随行小童所背锦囊之中。一回到家，他连饭都来不及吃便要打开锦囊进行整理，也因此写出了一首首脍炙人口的佳作。

见他如此痴迷于诗歌创作，母亲心疼道：“看来我这宝贝孩子非要呕出心、吐出血来才肯罢休！怎么竟连饭都忘了吃呢？”

元和二年（公元 807 年），李贺将那首气势恢宏的《雁门太守行》呈给韩愈。韩愈看后力邀他参加进士科考试，也好重振家门，可他的父亲却突然去世了，只得回家丁忧。

三年丁忧期满后，韩愈给李贺写信，勉励他前去参加进士科考试。二十一岁的李贺参加了韩愈组织的河南府试并顺利过关，怀着激动的心情奔赴长安，积极备战转年由礼部主持的省试。

就在所有人都认为才华横溢的李贺此番必定会高中时，事情却再起波澜。

这一次还是因为李贺的父亲。古人十分讲究避讳，也就是要回避与祖上名字相同的字，可唐朝人却将需要避讳的范围人为地扩大了，居然连同音都不行。李贺的父亲名叫李晋肃，“晋”字与进士的“进”字同音，那些不怀好意的考生便开始不断叫嚣，李贺应当主动弃考，实际上是想借机除去一个强劲的竞争对手！

李贺虽心有不甘，却也是无可奈何，流露出了弃考的意思。韩愈得知此事后不禁焦急万分，专门撰写了《讳辩》，竭力为李贺进行辩护，可李贺却终究抵不过世俗的强大压力，最终还是主动弃考了，白白浪费了出众的才华，也蹉跎了美好的年华，这也成为他一生的痛！

好在李贺是皇族子弟，依靠门荫被朝廷授予奉礼郎，负责掌管祭祀相关事宜。不过李贺当的却是“卿监官”，在中晚唐，官员如若并非进士及第将会被视为“杂色”。李贺这个“杂色”很难出任要职，领导不重视，同僚看不起，前途一片渺茫。

眼见着迁调无望，功名无成，李贺心中的哀愤之情日深，爱妻偏偏又在此时病逝，他终于忧郁成疾。

元和八年（公元 813 年）春，李贺告病回老家昌谷休养了一段时日，后来又到江南去散散心。他回来后便毅然决然地辞去了奉礼郎之职，在回乡途中，有感而发写下了《金铜仙人辞汉歌》：

茂陵刘郎秋风客，夜闻马嘶晓无迹。

画栏桂树悬秋香，三十六宫土花碧。

魏官牵车指千里，东关酸风射眸子。

空将汉月出宫门，忆君清泪如铅水。

衰兰送客咸阳道，天若有情天亦老。

携盘独出月荒凉，渭城已远波声小。

汉武帝刘彻相信神仙会降露于人间，饮服神露又能长生不老，于是便下令在长安建章宫内建造高约六十七米的神明台，上面铸造有硕大的铜仙承露盘，其实盘中不过是因早晚温差凝结的水蒸气，可汉武帝却将其视为长生不老的仙露，与美玉碎屑调和成所谓的长生不老药。汉武帝虽然未能实现长生不老的夙愿，但铜仙承露盘却得以保留下来。一代枭雄曹操之孙魏明帝曹叡下令将铜仙承露盘从长安搬迁到洛阳，不过却在搬迁途中损坏了。

那句“天若有情天亦老”也成为脍炙人口的诗句，李贺慨叹自然法则的无情，雄才大略的汉武帝逃不脱，怀才不遇的李贺同样逃不脱！

途经潞州（今山西长治市）时，在韩愈侄女婿张彻的竭力荐举之下，李贺入幕成为昭义军节度使郗士美麾下幕僚，若是郗士美日后能飞黄腾达，李贺的仕途之路也会随之变得豁然开朗。

此时淮西之战正呈胶着状态，成德与魏博这两个藩镇夙怨已久，矛盾甚深，摩擦不断。王承宗放纵士兵四处掳掠，使得河北诸藩镇苦不堪言。已经归顺朝廷的魏博节度使田弘正接连十次上表，要求朝廷出兵讨伐。

在那些手握重兵的节度使的强烈呼吁之下，宪宗皇帝终于下定了决心，颁布制书削除王承宗的官职爵位，令河东、幽州、义武、横海、魏博、昭义六路兵马前去征讨桀骜不驯的王承宗。

昭义节度使郗士美派遣兵马使王献率一万精兵充任先锋，谁知王献却因畏敌而逗留不进，郗士美将其召回，历数他的罪责后将其斩杀，传令军中畏敌怯战者斩！

郗士美亲自击鼓，昭义兵奋力死战，连下三营，不过随着时间推移，讨伐行动却渐渐有些变味了。

朝廷征调六个藩镇十余万人马，辗转数千里，历时两年之久却一直没有实质性进展。军队数量虽多，却相互防范，互不支援，互不配合，犹如一盘散沙。节度使们表面上虽积极响应，但实际上却都在竭力避战，嘴上说的是誓与叛军血战到底，想的却是与叛军“长相厮守”。这是因为藩镇军队离开自己的防区外出作战，朝廷需要支付“出界粮”，节度使们常常出工不出力，讨伐虽毫无进展，自己却赚了个盆满钵满，朝廷则为此背负沉重的财政负担。

元和十一年（公元816年），眼见战事变得旷日持久，独自苦苦支撑战局的郗士美也彻底绝望了，向朝廷告病回洛阳休养。郗士美这一走，李贺这个小幕僚也只得无奈地返回家乡昌谷，不久便病逝了，年仅二十七岁。

英年早逝的李贺不禁令人扼腕叹息，不少人认为他因过度沉迷于诗歌创作，加之仕途不顺而患上了抑郁症，不过透过史书的字里行间，李贺极有可能患有马方综合征。这是一种遗传性结缔组织疾病，为常染色体显性遗传，三分之一的马方综合征患者会在三十二岁以前去世。患者患病后往往四肢、手指、脚趾细长而不匀称，身高明显超过常人，往往会伴有心血管系统异常，尤其是会合并心脏瓣膜异常和主动脉瘤，最常见的死因为主动脉瘤破裂、心包压塞或主动脉瓣关闭不全和二尖瓣脱垂而致的心力衰竭或心肌缺血。

李商隐在《李长吉小传》中记载：“（李贺）细瘦，通眉，长指爪。”李贺长得很瘦，手指发育异常，这与俗称“蜘蛛人病”的马方综合征的特征高度吻合。李贺十七岁时便头发斑白，身体一直虚弱不堪，眼睛因畏光而经常流泪，短暂的官宦生涯又使得他病情突然加重，不得不回家休养，很快便毫无征兆地死去，种种迹象表明李贺极有可能就是马方综合征患者！

| 延伸阅读 | 唐朝人爱得什么病，又是否有医保？

柳宗元之所以会英年早逝，既因长期被贬心情抑郁，也因他患有痞病；李贺的过早离世可能是患上了马方综合征。身为官员，得了病有医保帮忙吗？

京城的官员们可以向所在单位申请，由单位统一将诊疗需求报送至太常寺，再由太常寺下辖的太医署派医生前去诊治，根据病情发放药物，妥妥的公费医疗！如果是朝廷重臣，皇帝还会派御医到家中提供VIP服务。杜如晦、李勣、张说生病期间，皇帝都曾派御医为他们进行诊治。

虽然太医署提供免费医疗，但很多官员仍会找私人医生治病，原因有二。一是等待太医署派人时间太长。中央政府正员官编制为2620员，还有为数众多的员外官和不担任职事官的皇亲国戚，他们都需要太医署提供医疗保障。高官病了很快就能等来医生，但八九品小官只能望眼欲穿了。二是很多医官端上了“铁饭碗”后只想着混日子，医术实在不敢恭维。

官员相互馈赠药品也是常有的事，正所谓“有福同享，有药同吃”！有些官员因长期患病而生活贫困，赠药便隐含接济之意，比如卢照邻中风后，朋友们就纷纷给他赠药。

第六章　去似朝云无觅处

——身居庙堂之高，又处江湖之远

宋朝大文豪苏东坡曾这样评价中唐的四位伟大诗人："元轻白俗，郊寒岛瘦。""元白"与"郊岛"各具特色，各成一派。不同的诗风也折射出他们不同的人生、不同的感悟，还有不同的心境。

元稹的诗歌往往流于轻浮艳情，他十五岁明经科及第，二十五岁踏入官场，四十四岁朝中拜相，可谓大唐第一"才子宰相"。他不仅官场得意，情场也风流，仅仅是史书中有记载的妻妾情人便有六位之多。有人说他是"渣男"，也有人说他是"情种"，正是丰富的情感经历使得他的诗歌具有独特的艺术特色。

白居易的"俗"并非低俗，而是通俗，语言平实，选材大众，他的诗因为很接地气而在百姓间广为流传。"选语之工，白不如元；波澜之阔，元不如白。白苍莽中间存古调，元精工处亦杂新声。"元稹更注重遣词造句，句式整齐，讲究声韵，为此不免精雕细琢，绞尽脑汁。白居易所作诗歌句式灵活多变，行文流畅又跌宕起伏，感情细腻极易引发读者共鸣。

“郊寒岛瘦”指的是孟郊与贾岛，他们所作诗歌总是透着瘦劲荒寂之美，这是因为他们的人生际遇与元白二人有着天壤之别。元稹曾为宰相，白居易身居要职，孟郊与贾岛却都只是在基层苦苦打拼的小官：孟郊先任县尉，后任河南府水路运从事；贾岛先任县主簿，后任普州司仓参军，生活贫寒，仕途不畅，唯有苦吟才能稍稍缓解他们心中的不如意。因此他们总是雕章琢句，呕心沥血，给人留下了寒瘦羸弱的形象。

情史丰富的诗人宰相——元稹

元稹的父亲元宽的官并不算小，曾经担任比部郎中（从五品上阶）、舒王府长史（从四品上阶），却在元稹八岁时便去世了。由于父亲生前并未置办下什么产业，随着父亲的离世，元稹母子的生活也就此陷入困顿。

正因如此，元稹渴望着能够早日为官，从而改善家中的经济状况。他十五岁时报考了相对比较容易的明经科——从盛唐开始，世人对进士科愈加狂热，报考明经科的考生数量日趋减少。元稹虽一举中第，但明经科及第后却要经过长达十年的守选才能参加铨选。

贞元十五年（公元 799 年），二十一岁的元稹寓居在位于蒲州的姨妈家中，与“颜色艳异，光辉动人”的表妹崔双文意外邂逅。虽然崔双文是个颇为高冷的美女，但善于撩人的元稹却另辟蹊径，买通了崔双文身边的丫鬟红娘，托她带去自己冥思苦想写就的那首情诗：

月色溶溶夜，花阴寂寂春。

如何临皓魄，不见月中人。

崔双文看后脸颊上掠过一丝绯红，情窦初开的她顿时便被表哥的英俊与才情所深深打动，于是便托红娘回了一首诗：

待月西厢下，近风户半开。

拂墙花影动，疑是玉人来。

两首情意绵绵的诗也使得两个年轻人就此私订终身。不过卿卿我我的日子却只维持了三个月，元稹时刻牵挂着自己的仕途，最终还是狠心地抛下了表妹崔双文。

一年后，心灰意冷的崔双文另嫁他人。多年后，元稹恰巧路过崔双文家，想要与她再见一面，却遭到拒绝。她只是托人送给他一首满是悲凉的诗：

弃置今何道，当时且自亲。

还将旧时意，怜取眼前人。

两人终生都未曾再相见。元稹根据自己的这段初恋故事写成自传体小说《莺莺传》，后来被元代著名剧作家王实甫改编成戏剧《西厢记》。崔双文写给元稹的定情诗也成了《西厢记》中崔莺莺的《答张生》。

其实张生就是元稹三生三世的化身，惊醒了莺莺无痕的春梦。三个月的缠绵，让她爱了一生，却也痛了一生！

贞元十九年（公元 803 年），元稹参加了吏部主持的铨选。铨选主要分为面试与笔试两道程序。面试主要考察“身”“言”两项，就是看看体格相貌，听听语言表达，判定为合格的标准是“体貌丰伟”“词顺言正”。

其实铨选中最关键的是“书”“判”这两项，就是根据题目要求写两篇应用性公文，初期主要是一些疑难案件，让考生判断是非曲直并撰写案件判决书，后来渐渐也涉及一些治国用人的宏观政策，借此考查考生是否具备基本的政务处理能力。

贡举及第者要么通晓经义，要么辞赋优美，要么能讲一大通如何安邦治国的大道理，却往往对具体问题缺乏深度理解与剖析，更不用说写出高质量的判词了，甚至很多寒门子弟之前都未曾接触过这类考题。相反，元稹这样的官员子弟自幼便因祖辈而耳濡目染，自然更具优势。

元稹铨选时凭借平判入等入仕，比他大八岁的白居易参加了科目选书判拔萃科一举高中。殊途同归的两人一同被分配到秘书省担任校书郎，也就此成为相交一生的挚友。

知识小贴士：什么是平判入等

由于僧多粥少，并非所有参加铨选的人都会被授予官职。吏部会将那些在试判环节中表现突出的人员挑出来，在授官时予以优先考虑，因为试判最能考查一个人的政务处理能力。这就是“平判入等”。

有的学者将平判入等归入科目选是不妥的。科目选是在铨选之外另外建立的一种选官形式，像科举那样分科目举行考试，设有博学宏词、书判拔萃等科目。平判入等与书判拔萃科在考试内容上都是试判，但两者却有所区别。科目选书判拔萃科一般是选限还没有到的人前来应考，平判入等则是在铨选应选者之中选拔出判词出众的人优先授官。前者主动权在自己手中，后者主动权却在吏部手里。试判题目的数量也有所不同，科目选书判拔萃科为三道，而平判入等为两道。

风华正茂的元稹昂首阔步走上仕途，随后又开始为自己的终身大事奔波忙碌。他将关注的目光投向了京兆尹韦夏卿的小女儿韦丛。在步入仕途的当年，元稹便如愿成为韦夏卿的乘龙快婿。

当年十月，韦夏卿改任东都留守、东都畿汝防御使，后升任太子少保（从二品）。韦丛是韦夏卿最小的女儿，她割舍不下父亲，父亲也放心不下女儿。元稹、韦丛夫妇商议后便将家安在了洛阳履信坊，好随时照顾年事已高的父亲，而在长安工作的元稹就此开启了往返于长安与洛阳间的“双城生活”。

元稹原本以为，凭借岳父的权势，自己的仕途能走得更为平顺，谁知岳父却于元和元年（公元 806 年）溘然长逝。元稹为此扼腕叹息了许久，却也是无可奈何。

妻子韦丛虽生在官宦之家，又极受父亲宠爱，却不羡富贵，通情达理，温柔贤惠，体贴备至。两人在一起度过了琴瑟和鸣的七年幸福时光，韦丛接连为元稹生下了五个孩子，但元稹最看重的却不是家庭，而是前途。

元和元年（公元 806 年）四月，元稹与好友白居易同登制举“才识兼茂明于体用”科。当时登第者共有十八人，元稹位列榜首，被授予左拾遗（从八品上阶）。

少年得志的元稹觉得自己身为谏官理应承担起进谏的职责，于是直指朝政弊端，大胆言事，很快便得到宪宗皇帝李纯的召见，却因锋芒太露而触怒了权贵。仅仅五个月后，他便被贬出长安，改任河南县县尉（从八品下阶）。

屋漏偏逢连夜雨，就在元稹因惨遭贬谪而愤懑之际，母亲却突然过世了。他幼年丧父，如今又青年丧母，只得怀着悲痛的心情辞官回家为母亲丁忧，暂时远离了官场上的那些是是非非。

元和四年（公元809年）三月，结束丁忧的元稹被任命为监察御史。三十一岁的元稹重回朝中，前景一片大好，随后又以详覆使身份意气风发地前往剑南东川（包括今四川北部、重庆等地）。

花开花落自有时，尘世间的相逢有些是意外，有些却是命中注定，元稹与薛涛便是如此。元稹久闻大才女薛涛芳名，来到四川后迫不及待地想要一睹芳容。

薛涛的父亲薛郧是位学识渊博的官员，从小便教她读书、写诗、习乐。她八岁那年，父亲薛郧在院中梧桐树下歇凉，忽有所悟，当即吟诵道："庭除一古桐，耸干入云中。"薛涛随口接道："枝迎南北鸟，叶送往来风。"

让人始料未及的是，薛涛这位官宦人家的女子居然会堕入风尘。为人正直的薛郧因得罪朝中权贵而被贬往四川，后来出使南诏时又因不幸沾染了瘴疠而命丧黄泉，母女俩的生活也就此陷入了困境。此时的薛涛虽只有十四岁，却已然在诗坛上小有名气了，加之她又擅长音律，于是加入乐籍成为歌伎，主动挑起生活的重担，却也因此终身都未能收获幸福。

贞元元年（公元785年），在剑南西川节度使韦皋组织的一次酒宴上，韦皋让薛涛即席赋诗。薛涛神态从容地接过纸笔，提笔写就《谒巫山庙》：

乱猿啼处访高唐，路入烟霞草木香。

山色未能忘宋玉，水声犹是哭襄王。

朝朝夜夜阳台下，为雨为云楚国亡。

惆怅庙前多少柳，春来空斗画眉长。

这首磅礴大气的诗完全不似出自一个小女子之手，韦皋看后不禁拍案叫绝。自此之后薛涛声名鹊起，被人称作“文妖”。幕府中每有宴会，薛涛总是侍宴的不二人选，很快便成为韦皋身边的红人。

不论是韦皋、袁滋、高崇文、段文昌等历任节度使，还是白居易、张籍、刘禹锡等享誉海内外的诗坛大家，无一不是薛涛的座上宾。不过她终日周旋于这些有钱有势抑或有名有才的男人中间，最终给她招惹来巨大非议！

如今两人刚一见面，薛涛便被元稹的俊朗所吸引，元稹也被薛涛的美貌所折服。不过最令两人心生爱慕的，还是旗鼓相当的才情。

一个有心，一个有意，见惯风云变幻的薛涛早就将内心的情愫埋藏得很深很深，如今却不可救药地沦陷在元稹温情款款的世界里。

元稹比薛涛小十一岁，这段“姐弟恋”从一开始便不被人看好。不过薛涛明知这段情必将承受巨大的世俗压力，却依旧无怨无悔，如同飞蛾扑火般奔向自己的爱人！

薛涛尽情地享受着当下的幸福，也感受着从未体尝过的甜蜜，怀着激动的心情写下了《池上双鸟》：

双栖绿池上，朝暮共飞还。

更忆将雏日，同心莲叶间。

两人手牵手流连在锦江边，肩靠肩相伴于蜀山间。薛涛自以为找到了心心相印的灵魂伴侣，相伴一生的亲密爱人，但幸福的时光却往往是短暂的。

三个月后，元稹要走了。他是奉命而来，如今要复命而去，却不知这一去两人何时才能再相见。

薛涛心中虽有千般不舍，万般不愿，却也是无济于事。她与元稹并无半点名分，于情于理都不能阻拦他奔向自己的大好前程，唯求他离开后莫要忘了自己。

元稹走后，薛涛很快便收到了他寄来的深情款款的书信。虽是劳燕分飞，两情远隔，但那一首首诗却寄托着彼此间的相思之情。

薛涛因相思而迷上了写诗，也因写诗迷上了信笺。她喜欢写四言绝句，律诗也常常只写八句，可平日里写诗所用纸张纸幅太大，于是决意自行设计一款钟意的信笺。她先将纸染成桃红色，再裁成精巧的窄笺，特别适合写诗，被世人称作“薛涛笺”。

才子虽多情，却易变心。其实薛涛也敏锐地察觉出了什么——随着时间的推移，彼此间鸿雁传书的频率大为下降，她写的那些滚烫炽烈的情诗寄出后迟迟收不到元稹的回信。

其实元稹回京后过得并不如意，经历了一连串的打击。元稹出使剑南东川期间为八十八户百姓平反了冤假错案，还上书弹劾剑南东川节度使严砺玩忽职守，使得他在蜀中名声大振。但御史台却有些出人意料地让干劲满满的元稹分司东都，贬谪的意味极为明显。

此后不久，与元稹相伴七年之久的韦丛又不幸去世，悲痛不已的元稹一口气写了五首《离思》，其中最为人熟知的是第四首：

曾经沧海难为水，除却巫山不是云。

取次花丛懒回顾，半缘修道半缘君。

这些悼亡诗虽写得情真意切，可就在数月之前，妻子在家操劳家务，苦苦等待着他的归期，他却与薛涛两情相悦，恩爱缠绵。元稹恋着沧海，也爱着巫山，但沧海之外亦有水，巫山之外另有云，他的多情最终负了辛苦持家的妻子，也负了深情以待的薛涛。

不过最令元稹绝望的还是无情的贬谪。元和五年（公元 810 年），分司东台的监察御史元稹从洛阳被召回长安，途经华州敷水驿时被安排在上厅。不过一个大宦官也来到这座驿站中歇脚，《旧唐书》记载此人为刘士元，但《新唐书》却记载此人为臭名昭著的仇士良。这个趾高气扬的宦官非上厅不住，大有一股将元稹硬生生赶出去的架势。

御史台的官员负责监察百官，本就有“见官大一级”的架势，那时的元稹又年轻气盛，见此情形自然是据理力争，谁知却被打得鲜血直流，被硬生生赶出了上厅。元稹原本是受害者，但在宦官的构陷诋毁之下，宪宗皇帝李纯却认为元稹擅自树威，有失体统，于是将他贬为江陵府士曹参军，至此开启了元稹长达十年的贬谪生活。

元和九年（公元814年）春，薛涛怀着激动的心情奔赴江陵，与朝思暮想的情郎元稹会面。两人重逢后旧情复燃，纵情缠绵，消解这些年来的相思之苦。

此时元稹的妻子已然故去，在薛涛看来，似乎没有什么可以阻挡两人在一起了。但无论是元稹将她娶进门，还是将她纳为妾，都将会承受巨大的世俗压力。薛涛虽名满天下，却既有美名，也有恶名，与韦皋等人的关系不清不楚，元稹为了自己的仕途不能不顾及世俗的眼光。

沉浸在爱情喜悦之中的薛涛不会想到相爱简单，相处却很难，成亲无疑更难。薛涛走的时候带着无尽的期待，但这一走两人此生都未曾再相见。

惨遭贬谪的元稹不甘心一直流落在外，渴望着能早日迎来转机。在如此关键的时刻，若是不顾非议毅然决然地迎娶薛涛，势必会给自己的政敌们留下口实！

薛涛默默等待着元稹的召唤，等来的却是他再婚的消息。她彻底绝望了，想要就此忘却元稹，但这份感情却又是如此刻骨铭心。她将满腔幽怨都写在了自制的薛涛笺上，创作了流传千古的《春望词四首》：

花开不同赏，花落不同悲。

欲问相思处，花开花落时。

揽草结同心，将以遗知音。

春愁正断绝，春鸟复哀吟。

风花日将老，佳期犹渺渺。

不结同心人，空结同心草。

那堪花满枝，翻作两相思。

玉箸垂朝镜，春风知不知。

薛涛脱下了此前酷爱的红裙，换上了一袭暗淡的灰色道袍，离开了熙熙攘攘的浣花溪，移居到成都郊外，浣花溪畔的那场甜蜜邂逅终成无奈逝去的风花雪月！

她终日煮茶、酿酒、写笺，看似与世无争，却一刻都不曾停止过对他的思念；看似安静度日，内心却一刻都不曾享受过平静。

大和六年（公元832年）夏，六十五岁的薛涛去世了。她终身未嫁，却始终未能等来要等之人！

元稹的确曾深爱过薛涛，但薛涛却不是他的唯一。

在江陵府任职期间，元稹纳了一个妾室安仙嫔。元稹丧妻之后始终未曾续弦，安仙嫔这个小妾一直为他操持家务。但由于他俸禄微薄，两人的日子过得很是凄苦，“无盈余之帛，无成袭之衣，无帛里之衾”。就连好友白居易都为他惋惜道：“怜君为谪吏，穷薄家贫褊。”两人在一起生活了三年，安仙嫔黯然离世，元稹又变得孑然一身。

元和十年（公元 815 年）正月，三十七岁的元稹怀着喜悦的心情奉诏回朝，以为这次将会得到皇帝的重用。途经蓝桥驿，他还专门题诗留赠给与他有着相似命运的友人刘禹锡与柳宗元，可他们随后却一同被放逐远州。

元稹怀着极度失落的心情前往“哭鸟昼飞人少见，伥魂夜啸虎行多”的通州（今四川达州市通川区）任司马。心情郁闷的元稹患上了疟疾，性命岌岌可危，后来专程赶赴兴元府（今陕西汉中市）求医问药才渐渐好了起来。

在穷困潦倒中，元稹唯有以诗述怀，用友情来慰藉自己。他完成了最具影响力的乐府诗歌《连昌宫词》，与好友白居易的酬唱诗作居然多达一百八十余首。

一切似乎都在渐渐变好，元稹也迎娶了第二任妻子裴淑。裴淑与韦丛都是大家千金，出身于声名显赫的河东裴氏，父亲裴郧为涪州刺史。河东裴氏在唐朝涌现出十七位宰相，素有“唐宰相以裴为首”“无裴不成唐”之说。在元稹的眼中，唯有世族之女与他这位官场才俊才是绝配！

夫妻二人情真意切，举案齐眉，士族出身的裴淑有才思，工于诗，却终日记挂着柴米油盐，因此两人并未演绎出什么惊天动地的爱情故事。

淮西之战胜利后，大喜过望的宪宗皇帝李纯宣布大赦天下，元稹的好友崔群、李夷简等人相继为相，他的政治处境也得到了极大改善。

元和十三年（公元 818 年），元稹代理通州刺史，后转为虢州长史。次年冬，元稹入京担任膳部员外郎，终于回到了心心念念的长安，不过宪宗皇帝却并未对他委以重任。

两年后，雄才大略的宪宗皇帝突然暴亡。宰相段文昌竭力向刚刚即位的穆宗皇帝李恒举荐元稹。元稹升任祠部郎中（从五品上阶）、知制诰。草拟诏书本是中书舍人的职责，不过皇帝有时也会命其他官员负责此事，称为“知制诰”。这些官员通常都会被皇帝另眼看待，元稹自然也不例外，很快便升任中书舍人（正五品上阶）、翰林承旨学士，再迁工部侍郎（正四品下阶）。

此时的元稹早已不是当初那个有追求、有抱负的青年才俊了。经历了长达十年的贬谪岁月，元稹再度回朝后不再有当初的锐气，开始绞尽脑汁地谋求升迁，与宦官魏弘简倾力交好，积极谋求宰相之位。正因如此，他与昔日好友裴度渐渐心生芥蒂。

穆宗皇帝李恒登基之初因处置失当使得河北烽烟再起，朱克融割据幽州镇，王廷凑割据成德镇，史宪诚割据魏博镇，刚刚回到朝廷怀抱的河北三镇再度从大唐版图中脱离出去。曾经平定淮西的重臣裴度再度领命出征河北。裴度的名望本就在晚辈元稹之上，元稹担心裴度会再立新功，再度为相，于是暗中使坏。老谋深算的裴度很快便识破了元稹的小心思，专门上表指摘元稹为奸邪之徒。

长庆二年（公元 822 年）三月，河东节度使裴度入朝，穆宗皇帝李恒感念他为国立下的显赫功勋，让他与势同水火的元稹同时出任宰相。此举出乎两人的预料，两人共同秉政的局面也势必难以长久。

当时窃取成德镇军政大权的王廷凑派兵将深州刺史牛元翼团团围住，官军从东、北、西三个方向前去救援，却迟迟没能奏效。就在深州城岌岌可危之际，于方向宰相元稹建议道："恳请派遣说客王昭、于友明等人携带大笔钱物前去游说策反王廷凑的部下，再随身带着二十张文武官员告身，或许可解深州之围！"

于方之计还未及实施，朝廷便无奈地任命王廷凑为成德节度使。不过此事却被别有用心之人利用，以至于在朝中掀起了一场轩然大波。

那些人添油加醋地告诉裴度，元稹暗中授意于方交结刺客，阴谋刺杀他。老辣的裴度却并未听信。那些人见一计未成便又心生一计，向左神策军告发此事。

当年淮西之战激战正酣时，那些图谋割据一方的节度使曾派遣刺客秘密进京刺杀主战派重臣，宰相武元衡当街被杀，时任御史中丞的裴度虽侥幸逃过一劫，却也身负重伤。穆宗皇帝李恒顿感事态重大，于是下诏彻查此事。

此案最终虽查无实据，但两位当朝宰相相互算计之事却闹得满城风雨。其实这件事的幕后主使是老奸巨猾的李逢吉。当年六月初五，裴度与元稹同时被免去宰相职务，元稹被贬为同州刺史，短短三个月的宰相生涯就此戛然而止，李逢吉趁机夺取了宰相之位。

次年，元稹改任浙东观察使、越州刺史，在潮湿多雨的江南遇到了同样才貌出众的刘采春，她如当年的薛涛那般令他着迷。元稹与薛涛相遇时其实已然错过了她最美的年华，但他与刘采春相遇时，却正值她最妩媚动人的时候。

红遍江南的刘采春文采虽不及薛涛，却也算是女子中的佼佼者。篇幅宏大的《全唐诗》收录的女子诗作少之又少，寻常女子能有一首入选便已属难能可贵了，但刘采春却足足有六首诗作入选。

不过刘采春最擅长的却是演戏唱歌：她的歌声情韵悠扬，令人如痴如醉；戏也演得惟妙惟肖。她与丈夫周季崇便是因戏结缘。周季崇是以表演参军戏为生的艺人，夫妇二人每次演出时都是人挤人。

这日，这对夫妇未曾注意到台下居然莫名地多出了一名特殊观众，此人便是浙东最高军政长官元稹。此时的元稹已然四十五岁了，由于久经宦海沉浮，内心早已沦为死水一片，但刘采春的突然出现却使得他春心荡漾，难以自持。

元稹这位情场老手主动接近刘采春，深情款款地写了一首《赠刘采春》：

新妆巧样画双蛾，谩里常州透额罗。

正面偷匀光滑笏，缓行轻踏破纹波。

言辞雅措风流足，举止低回秀媚多。

更有恼人肠断处，选词能唱望夫歌。

在元稹强大的爱情攻势之下，刘采春也很快如薛涛那般沦陷了，无可救药地爱上了位高权重而又风流倜傥的元稹。

周季崇万万未曾料到，插足自己婚姻的第三者居然会是万万招惹不起的父母官，只得忍气吞声，选择视而不见。

这段恋情在江南传得沸沸扬扬。有一次元稹喝醉酒后诗兴大发，题诗道："因循未归得，不是忆鲈鱼。"他手下官员卢简求却开玩笑道："您留在江南自然不是为了鲈鱼，您是喜爱这镜湖春色！"

卢简求以为元稹割舍不下才貌俱佳的刘采春，但其实在元稹心中，前途永远都是第一位的！

刘采春多才多艺，又青春靓丽，元稹虽为其着迷，但他也深知两人之间有着巨大的身份差距。刘采春不仅不是什么大族女子，连身世清白的良家女子都算不上，因为她是隶属乐籍的歌伎。如今身居高位的元稹与出身如此卑贱的女子暗通款曲已然招致世人非议，若是再强行将她留在自己身边，定然会承受更大的世俗压力，甚至会彻底断送自己的仕途，因此两人注定不会有什么结果！

时光悄然逝去，大和三年（公元 829 年）九月，元稹再度被召回朝中，担任尚书左丞。元稹与江南作别的时候到了，刘采春的梦也该醒了！

元稹回京后渐渐忘却了远在越州的刘采春。其实刘采春早就预料到迟早会是这样的结果，但当这一切真正来临之际，她还是难以接受，为此哭过，为此恨过，却终究无济于事。

曾被誉为"江南一枝春"的刘采春再也等不到属于自己的春天，只有萧瑟的秋日，还有冰冷的寒冬！

刘采春毅然决然地离开了伤心地越州，想要忘记这里的一切，尤其是那个爱得深沉却又恨得真切的男人。她就此彻底消失在众人的视野之中，有的说她远遁异乡，有的说她投河自尽。

再度回朝身居要职的元稹恢复了当初做谏官时的锐气，大力整顿官员，肃清吏治，力排众议将七个劣迹斑斑、口碑极差的郎官贬谪出京。不过此时朝中的党争却愈演愈烈。时任宰相李宗闵为牛党首领，身为李党中人，元稹未来的命运也犹如浮萍般沉浮不定。

次年正月，元稹离京担任武昌军节度使、鄂州刺史。转年七月二十二日，元稹突患重病，次日便与世长辞，年仅五十三岁。

元稹比好友白居易足足少活了二十二年，不过除此之外，似乎并无遗憾。元稹与心仪的女子演绎着一场又一场风花雪月的情事。在唐朝四大才女之中，刘采春与薛涛都曾深深地爱上了他，但结局却都不怎么完美：元稹两次转身离去，或许是现实太过残酷，或许是他太过薄情，抑或还有着什么不为人知的隐情！

海誓山盟言犹在耳，但沧海桑田却不知在何处。谁又是谁的沧海之水，谁又是谁的巫山之云呢？到头来，风花雪月不过是大梦一场罢了！

与宰相之位擦肩而过的平民诗者——白居易

离离原上草，

一岁一枯荣。

野火烧不尽，

春风吹又生。

……

这首脍炙人口的《赋得古原草送别》是白居易备考时的习作。他的诗通俗易懂，却又意味隽永，由此奠定了他平民诗者的地位。寺庙道观、邮亭驿站的墙壁上时常会见到他的诗，使得上至王公大臣，下至野老牧童，甚至连不识字的老太太都会吟诵他的诗。这股“白居易风潮”席卷全国，久久未曾消散。

白居易笔下的野草即便面对风霜雨雪与漫天野火仍旧不服输、不言弃。他也希望自己如野草那般顽强，谁知却在屡遭打击后变得消沉而又颓废。他究竟遭遇了什么呢？

贞元十六年（公元800年），二十九岁的白居易高中进士，曾满是骄傲地说：“慈恩塔下题名处，十七人中最少年。”在唐朝，一向有“三十老明经，五十少进士”之说，三十岁明经科及第便会被称作“老明经”，这是因为明经科虽也需要理解分析能力，但最主要的却是记忆能力，无疑更适合年轻人参考。五十岁进士及第仍可被称为“少进士”，虽未免有些夸张，却也可由此看出进士科难度之大。

科举及第只是获得了当官的资格，及第者需要等到守选期满才能参加铨选。但白居易却想着尽早授官，于是便参加了科目选书判拔萃科的考试，如愿中第后被授予秘书省校书郎。

元和元年（公元806年）早春，白居易与好友元稹一同居住在长安永崇坊的华阳观中。这里环境清幽，费用低廉，颇为适合他们在此闭门苦读。他们即将参加在本年举行的制举才识兼茂、明于体用科考试，想要借此来博取更显要的职位与更光明的前景。

学习之余，他们饶有兴趣地揣摩着时政，梳理着大唐宰相们的升迁之路：起家为校书郎、正字，抑或京县、畿县的主簿或县尉，若是从政之初便被分配到偏远州县，或许此生都难再有出头之日；优秀者随后会迁转为御史台三院御史、左右拾遗、左右补阙、尚书省诸司的郎中、员外郎；其中有才能者再迁为尚书左右丞，中书、门下两省侍郎及尚书省六部侍郎，或者是给事中与中书舍人，步入高层文官行列。若是再遇到合适的机遇便可成为宰相或者节度使，位极人臣，大权在握。

白居易与元稹入仕之初同任校书郎，无疑在起步时便占据了有利位置，对自己的未来都怀着美好的憧憬，不过最终出将入相的却只有元稹一人。虽然他的宰相生涯只有短短的三个月，但他已然属于极少数的幸运儿。

白居易活到七十五岁高龄，“前后历官二十任，食禄四十年”，虽也做过中书舍人、刑部侍郎这样的高官，还曾被召入翰林学士院，三度与宰相之位近在咫尺，但终其一生也没能实现心中夙愿！

白居易与元稹在制举中一同高中。元稹考了第一名，授左拾遗（从八品上阶）；白居易的成绩则稍稍逊色些，授盩厔县县尉（正九品下阶），两人在仕途上的差距也就此拉开。

不过时局变幻，人情淡薄，君威难测，两人不可避免地在宦海中艰难地浮沉着。锋芒太露的元稹因直言进谏触怒权贵而被贬为河南县尉；后因秉公执法被责令分司东都被逐出长安；此后又远贬江陵府士曹参军，以致困顿于偏远州郡长达十年之久。

在元稹仕途暗淡之际，白居易的仕途却是豁然开朗。在名相裴垍的举荐下，白居易得以步入翰林学士院。翰林学士既是皇帝的机要秘书，也是皇帝的贴身顾问，被誉为“天子私人”和“内相”。参加宫廷内宴时，翰林学士的座次仅次于宰相，位居一品官员之上，可谓荣耀无比。

翰林学士中的优秀者会被提拔为翰林学士承旨，一般短期内会拜中书舍人，至此既可以直接被任命为宰相，也可先升任六部侍郎后再拜相。德宗至懿宗朝的 154 名翰林学士之中，53 人得以出任宰相，占总数的约 34%，翰林学士承旨中出任宰相的比例更是高达 58%。

翰林学士→翰林学士承旨→出院拜中书舍人→宰相

↘

六部侍郎→宰相

第一条拜相路径

翰林学士地位虽然重要，却与节度使一样属于本身并无品级的使职。在担任翰林学士的官员之中，品级最高的有正三品的太常卿与六部尚书，品级最低的仅仅是九品小官，不过皇帝却喜欢从五、六品官员中选拔翰林学士——官太大不好控制，官太小历练少、经验少，恐难当大任。

初入翰林学士院时，白居易的职务偏低，只是个九品官，不过他很快便被提拔为左拾遗（从八品上阶）。

这些年白居易一直在忙事业，以至于都熬成了大龄青年，三十七岁时才与杨颖士之妹喜结连理。他婚后一直在长安租房住，生活压力变得越来越大，于是他给上司写了《奏陈情状》，说自己“臣母多病，臣家素贫”。

后来白居易如愿以偿地改任京兆府户曹参军事（正七品下阶），虽仍在长安工作，却成了地方官，待遇提高了不少。于是他怀着极其兴奋的心情写道：“人生百岁期，七十有几人。浮荣及虚位，皆是身之宾。唯有衣与食，此事粗关身。苟免饥寒外，余物尽浮云。”

虽然白居易的工作有所变动，但他仍是翰林学士。可他很快便遭遇了变故。元和六年（公元811年）三月间，白居易的母亲突然去世，有的记载说是因心疾去世，有的记载说是看花时跌入井中摔死了。白居易不得不解官丁忧，带着些许怅惘与无奈离开了翰林学士院，回乡归葬母亲，然后退居华州下邽县义津乡金氏村为母守丧。

由于朝中人才济济，等到丁忧期满，白居易想再入翰林学士院已然没有了可能，即便是寻个京官都极为困难。在旧日同僚崔群等人的帮助下，白居易得以出任太子左赞善大夫。此官品级虽不低，却是个有职无权的闲职，他的未来因此一片黯淡。

再来看看曾与白居易在翰林学士院共事的三位同事。李绛和崔群均位至宰相；钱徽出院时也已是中书舍人，若不是与科考舞弊案有所牵涉，出任宰相也是顺理成章之事。

母亲的突然去世使白居易错失了此生最好的一次拜相机会，不过此时的白居易还很年轻，依然有机会，但他很快便摊上大事了！

元和十年（公元 815 年），淮西之战正呈胶着状态，宰相武元衡在上朝途中遇刺身亡，御史中丞裴度被刺成重伤，这是藩镇割据势力在公然挑衅朝廷权威。怒不可遏的白居易上表朝廷要严惩凶手，可他却忘了自己已然不是向皇帝进言的左拾遗，而是向太子进言的赞善大夫，政敌们借此大肆弹劾他越职言事。

随后政敌们又借白居易死去的母亲之名大肆攻击他：白居易的母亲因看花时坠井而亡，白居易却写有“咏花”诗与“新井”诗，这显然是大逆不道之举。

其实那些“咏花”诗写于母亲在世时；“新井”诗虽已失传，不过根据宋代记载，作于元和元年（公元 806 年）左右，那时他的母亲还健在。虽然政敌们攻讦白居易的理由并不能成立，却依然给他带来了巨大的负面影响。

白居易被贬为江州（今江西九江）司马，后升任忠州（今重庆忠县）

刺史。其实白居易此番被贬谪的真正原因很可能是写讽喻诗作而触怒了权贵。白居易此前以“兼济天下”为志，此后他的行事风格却渐渐转向“独善其身”，意志也慢慢变得消沉。

穆宗皇帝李恒登基后极为仰慕白居易的才华，于元和十五年（公元820年）六月将他从忠州召回长安，任司门员外郎（从六品上阶）；当年十二月，升任主客郎中（从五品上阶）、知制诰。

白居易此番能顺利回朝并得到皇帝重用，很大程度上得益于御史中丞牛僧孺的举荐。更令他感到喜悦的是，遭贬谪十年之久的挚友元稹也已先期返回长安，还从膳部员外郎升任祠部郎中、知制诰，白居易的任职诏书便出自元稹之手。两人相继回朝担任要职，喜悦之情自然溢于言表。

长庆元年（公元821年）十月，白居易如愿以偿地出任中书舍人。那些被皇帝格外器重的中书舍人有时会被直接任命为宰相，不过通常情况下却如元稹那样升任六部侍郎。白居易若是能够任礼部侍郎、知贡举，宰相之位便唾手可得，况且挚友元稹如今又身居宰相之位，定然会为他在穆宗皇帝面前多多美言。

守本官、知制诰→中书舍人→六部侍郎→宰相
↘
宰相

第二条拜相路径

就在宰相之位触手可及之际，事态却再度发生了戏剧性的变化。

长庆二年（公元822年）六月，白居易的好友元稹被罢免宰相之位，贬为同州刺史；一个月后，担任中书舍人还不满一年的白居易也出人意料地被外放为杭州刺史，再次偏离了既定的拜相轨道。这一年白居易五十一岁，上天留给他的机会已然不多了！

白居易在关键时刻被外放杭州，究竟是遭到了政敌的打压迫害，还是主动远离是非之地呢？

当时朝中党争愈演愈烈，元稹、李绅与李德裕同为翰林学士。面对河北三镇再度从大唐版图之中脱离出去的严峻形势，三人均主张积极进行军事征讨。老谋深算的李逢吉却主张对藩镇采取姑息态度，主战派与主和派因政见不合而互相攻讦。

裴度因平定淮西之乱而被誉为元和中兴名臣，与元稹同为主战派。之前两人的关系颇为亲近，但有志拜相的元稹如今却将裴度视为自己最大的竞争对手，担心他一旦再度拜相将会堵塞自己的上升通道，于是在暗中频频掣肘，使得裴度主持的军事讨伐行动迟迟难有进展。裴度得知真相后自然与元稹势同水火。

白居易素来敬重裴度，一向将其视为长辈与恩公；可他却又与元稹关系亲密，一向将其视为挚友与知音。白居易无奈地游走于两人之间，却不知该如何调和两者间日趋尖锐的矛盾。

裴度与元稹偏偏又同时拜相，李逢吉利用两人由来已久的矛盾，大肆诬陷元稹收买刺客企图暗杀裴度。宰相不和的传闻一时间闹得满城风雨，导致两人被同时罢免，老奸巨猾的李逢吉顺势上位。白居易对李逢吉构陷好友元稹的行为极为不齿，既不赞同他主和的政治主张，也不认同他卑劣的政治手段，可此前推荐白居易担任知制诰的好友牛僧孺却又偏偏与奸相李逢吉结盟。

面对如此错综复杂的政治局面，置身于政治旋涡之中的白居易左右为难，无所适从，思来想去，只得选择远离长安。他的举动虽令世人感到有些惋惜，却也不失为明智的选择。由于朝中此时已然变了天，即便白居易继续留在朝中，恐怕也很难再有出头之日，若是稍有差池，或许还会惹下滔天大祸。

白居易先后辗转于杭州、洛阳、苏州等地，不过此时的他并未就此彻底消沉，每到一地他都敬业勤勉，造福百姓。

在杭州刺史任内，白居易见杭州城内六口古井年久失修，立即主持疏浚，解决了杭州人的饮水问题；又见西湖淤塞农田，于是修堤蓄积湖水，以利灌溉，治理旱灾。离任前，白居易还特地将一笔官俸留在州库中充作基金，以供前来杭州赴任的官员公务周转之用，等他们手头宽裕后再缴回来。这笔基金一直运作到黄巢之乱，黄巢义军杀入杭州城后，文书遭焚烧且大量散失，这笔钱也就此不知去向。

如今的西湖有白堤与苏堤两条长堤。杨柳依依的白堤被后人误传为白居易所修，实际上白堤在白居易来杭州之前便已存在，当时被称为“白沙堤”。白居易的诗作中对此曾多有提及，如“最爱湖东行不足，绿杨阴里白沙堤”。

白居易在苏州刺史任内开凿了一条长达七里，西起虎丘、东至阊门的山塘河，称为“七里山塘”。山塘河北还修建有道路，渐渐成为热闹非凡的“山塘街”。

大和元年（公元 827 年）三月，白居易因受到文宗皇帝李昂的赏识而再度被召入朝中担任秘书监（从三品）。此时白居易的散官仅为中大夫（从四品下阶），文宗皇帝特赐给他只有三品以上散官才能穿的紫色官服、才能佩戴的金鱼袋。他兴奋地写道：“紫袍新秘监，白首旧书生。”

次年，白居易升任刑部侍郎（正四品下阶），封晋阳县男。如果单纯只看品级，似乎有所下降，不过由卿监官转为台省官，他的权力更大了，地位更高了，前景也变得更光明了。此时的白居易五十七岁了，这是他最后的机会了！

白居易的好友韦处厚此时正担任宰相，还颇受文宗皇帝的器重。文宗皇帝本就欣赏白居易的才学，若是韦处厚再竭力举荐，身为刑部侍郎的白居易拜相便成了顺理成章之事。可韦处厚偏偏在大和二年（公元 828 年）十二月暴亡，白居易不仅失去了一位旧友，也失去了最后的拜相机会。

随着李宗闵出任宰相，牛党人士逐渐把持朝政，白居易渐渐萌生了隐退之心。

史学大家范文澜在《中国通史简编》中提出，从文宗皇帝李昂开始，牛李党争激烈，白居易的妻子是牛党重要人士杨颖士的妹子，因此被算作牛党。李德裕执政，排斥白居易，甚至不敢读白诗，怕读了他的诗会改变对他的看法。这个被范先生定位为牛党重要人士的杨颖士居然在“两唐书”和《资治通鉴》中只有零星记载，甚至连他的生平都难以考证。白居易的确与牛党党首牛僧孺关系密切，与牛党要人杨虞卿也有姻亲关系，可若是据此便将他归入牛党，未免太过草率！

面对牛党与李党之间残酷的党争，白居易一贯秉持不站队、不选边的原则。元稹因与李党党首李德裕过从甚密而被归入李党，白居易与元稹相交一生，反而与李党党首李德裕始终不远不近、不冷不热。白居易与牛党党首牛僧孺关系亲近，互动频频，却与牛党另一位党首李宗闵有宿怨。

此事还要追溯到长庆元年（公元 821 年）三月，礼部侍郎钱徽执掌贡举，共录取了三十三名进士。已经下野的宰相段文昌即将离京出任西川节度使，面见穆宗皇帝李恒辞行时，他言辞激烈地指斥新科进士郑朗等十四人才疏学浅，应予落第。

科考无小事，穆宗皇帝顿觉事态严重，随即召翰林学士询问对策。当时同为翰林学士的李德裕、李绅、元稹三人关系亲密，均抨击主考官钱徽受人请托，所试不公。

其实这场科考弊案的背后有着深层次的政治动因。已故刑部侍郎杨凭家中所藏书画甚多，钟繇、王羲之等名家真迹皆有收藏。杨凭之子杨浑之为了求取功名只得忍痛割爱，将家藏名家书画悉数献给时任宰相的段文昌。见杨浑之送上如此重礼，段文昌自然倾力相助，当面将此事托付给主考官钱徽，还曾专门写信保荐杨浑之。李绅也向钱徽大力举荐考生周汉宾。无论是段文昌还是李绅都认为自己身居高位，主考官钱徽定然会对他们举荐的人予以关照。

可是等到发榜之后，杨浑之、周汉宾却都未能高中，段文昌、李绅自觉颜面扫地，自然要迁怒于主考官钱徽。元稹虽与钱徽并无矛盾，却与李宗闵不睦。元稹在外飘泊十年再度还朝后，性情大改，一心升迁，与同样执着于仕途的李宗闵都将彼此视为竞争对手。

段文昌主动揭发，李绅、元稹大力抨击，既是出于义愤，恐怕更是为了泄私愤。穆宗皇帝诏命主客郎中、知制诰白居易与中书舍人王起等人对段文昌所说的十四位名不副实的新科进士进行复试，最终判定孔温业、赵存约、窦洵直勉强及第；裴撰特赐及第；郑朗等十人被判落第。

只要对上述十四人的家世背景略加分析，便会发现这背后的蹊跷。特赐及第的裴撰之父裴度在平定淮西之乱中立有大功，曾在宪宗朝两度为相，当时为检校司空、门下侍郎、同中书门下平章事、河东节度使、北都留守，是官居一品的“使相”。

被判及第的三人无不是家门显赫之人。孔温业之父孔戢当时为湖南观察使，伯父孔戣曾为岭南节度使，当时已改任吏部侍郎。赵存约之父赵植因在平定朱泚之乱中立下军功而步步升迁，最终位至岭南节度使。虽然事发时已去世二十年之久，但与赵植生前交好的中兴名臣浑瑊的后辈当时均身居要职，赵植的门生故吏也有不少是当朝掌权者。窦洵直的堂兄窦易直曾任宣歙观察使，事发时为浙西观察使。

在落第的十人之中，七人的出身已然难以考证，应该都只是出身于小官僚之家或者是毫无背景的寒门子弟，只有三人家世可考。郑朗之父郑珣瑜虽曾为德宗、顺宗朝宰相，却早在十六年前便已故去，其兄郑覃当时为谏议大夫（正五品上阶），品级虽不算低却并非要职，最重要的是他如今已然成为众矢之的，极有可能是他才能太过平庸，烂泥扶不上墙；苏巢是李宗闵的女婿，李宗闵当时为中书舍人（正五品上阶），虽属朝中要职，却与上述那些三品大员有着明显的差距；杨殷士的家世更为逊色，兄长杨汝士仅为右补阙（从七品上阶），堂兄杨虞卿为监察御史，由此可见这里面的水其实很深！

因取士不公，主考官钱徽由礼部侍郎被贬为江州刺史；因干扰科举，李宗闵被贬为剑州刺史，杨汝士被贬为开江县县令。白居易与李宗闵由此心生芥蒂，虽有牛党党首牛僧孺居中调解，却依旧是心结难解。

大和三年（公元 829 年）春，白居易因连续请病假超过百日而被免去了刑部侍郎之职，改任太子宾客、分司东都，就此彻底远离了政治中心。

此时的白居易五十八岁，身体状况虽每况愈下，却并未到难以履职的地步，否则他也不会活过古稀之年。他辞职的真正原因恐怕是对江河日下的大唐、互相倾轧的官场、愈演愈烈的党争彻底失望了！

有的学者认为，白居易此后还有一次出任宰相的机会，《资治通鉴》记载：“上（即武宗皇帝李炎）闻太子少傅白居易名，欲相之，以问李德裕。（李）德裕素恶（白）居易，乃言（白）居易衰病，不任朝谒。其从父弟左司员外郎（白）敏中，辞学不减（白）居易，且有器识。甲辰，以（白）敏中为翰林学士。”

此事发生在会昌二年（公元 842 年）九月。根据上述记载，武宗皇帝李炎原本想要任用白居易为宰相，但当朝宰相李德裕素来厌恶白居易，迫不得已转而推荐白居易的堂弟白敏中为翰林学士。

为了还原历史真相，先来看看“两唐书”的记载。

《旧唐书》记载：“武宗皇帝素闻（白）居易之名，及即位，欲征用之。宰相李德裕言（白）居易衰病，不任朝谒，因言从弟敏中辞艺类（白）居易，即日知制诰，召入翰林充学士，迁中书舍人。”

《新唐书》记载：“武宗雅闻（白）居易名，欲召用之。是时，（白）居易足病废，宰相李德裕言其衰苶不任事，即荐敏中文词类其兄而有器识。”

“两唐书”的记载基本一致，武宗皇帝李炎对大名鼎鼎的白居易有所耳闻，即位后便想着要任用此人，但李德裕却说白居易年老而难以履职。

细度之下，我们便会发现《资治通鉴》在“两唐书”的基础上增加了两处极为重要的内容，一处是武宗皇帝想要任命白居易为宰相，另一处是李德裕素来厌恶白居易。这体现了《资治通鉴》的作者司马光一贯贬损李德裕的立场，使得后人误认为李德裕举荐白敏中是为了阻止白居易出任宰相。白敏中无论是资历还是名气都远逊于白居易，难以在短时间内登台拜相，李德裕觉得他不会对自己构成威胁才推荐他。事实果真如此吗？

当时白居易已然七十一岁高龄了，之前他曾在《病中诗十五首并序》中深情地写道："开成己未岁，余蒲柳之年六十有八。冬十月甲寅旦，始得风痺之疾，体矜目眩，左足不支，盖老病相乘时而至耳。余早栖心释梵，浪迹老庄，因疾观身，果有所得。"早在三年前，白居易便患上了中风，还落下了后遗症，以至于左脚行动不便。对于这样一个疾病缠身的垂老之人，李德裕说不便委以重任其实也并无不妥。

至于武宗皇帝是否真有任用白居易为宰相的意思，若是客观分析当时情形，这种可能性其实微乎其微。武宗皇帝任用的宰相，都如李德裕那样年富力强、精明强干，任用年老多病的白居易为宰相显然不符合他一贯的用人思路。

大和三年（公元 829 年），白居易离开长安后兴奋地写道："从今且莫嫌身病，不病何由索得身。"此时的白居易更在意的是自由惬意的生活，他返回洛阳后直至去世再也未曾离开过。在洛阳任职长达十五年的时间里，除了曾担任过三年多的河南尹外，他担任的几乎都是闲职，一直过着半退休的生活。

到了会昌二年（公元 842 年），百病缠身的白居易即将致仕，武宗皇帝怎么可能再任用他为宰相呢？"两唐书"的记载无疑更符合历史事实：鉴于白居易崇高的名望，武宗皇帝只是想将他召入朝中，但并非任用他为宰相，因为文学大家未必是治国能臣，比如不少人曾说白居易"有学士才，非宰臣器"。

既然李德裕直言白居易年老难以胜任政事是客观事实，那么他与白居易的关系究竟如何呢？

范文澜先生在《中国通史简编》中称，李德裕执政，排斥白居易，甚至不敢读白诗，怕读了他的诗会改变对他的成见。生活于五代、北宋时期的文人孙光宪所著《北梦琐言》最早记述了此事，范先生显然是受了宋代文人笔记的误导。

白居易虽文章冠世，却一直身居闲职。大和年间，李德裕任分司东都，刘禹锡为太子宾客。那日刘禹锡前去拜谒李德裕，问道："近来可曾读过白居易的诗文？"

李德裕却回答说："一再有人送来白居易的文章，我将其放于箱笥之中，始终未曾看过。今日你来了，我便取来与你一同观赏！"

李德裕赶忙命人取来箱笥，上面已经蒙上了一层灰尘。下人打开箱笥，取出白居易所作诗文后，李德裕意味深长道："白居易虽文章精绝，但我却不敢看，唯恐看了之后对他的看法会有所改变！"

《北梦琐言》可谓是李德裕不敢看白居易诗文一事最早的文献记载。宋人钱易所著《南部新书》也有一段类似的记载：李德裕因与白居易不和便将他所赠诗文放入筐中，从来也不看。他的幕僚刘三复请他观看，李德裕却说："我怕看后会回心转意！"

一个说是刘禹锡偶问，一个说是刘三复提议，究竟哪个记载才符合历史呢？

大和九年（公元 835 年）四月十一日，时任镇海军节度使的李德裕被贬为太子宾客、分司东都，四月二十五日，再贬袁州（今江西宜春）长史。这两次贬官仅仅相隔十四天。根据李德裕所作《畏途赋》，他当时从镇海军节度使驻地润州（今江苏镇江）走陆路前往历阳（今安徽和县），然后走水路沿江而下直奔蠡泽，并未回洛阳。由此可见，《北梦琐言》所载多半是道听途说或者肆意捏造！

若是白居易、刘禹锡、李德裕三人同在洛阳，只能是开成元年（公元 836 年）秋冬之际。当年七月，已经从袁州长史升任滁州刺史的李德裕再升为太子宾客，九月中旬抵达洛阳，居于平泉别墅之中，后在当年十一月便第三次授任浙西观察使，并于十二月初四动身赴任。就在本年秋，刘禹锡也由同州刺史改任太子宾客、分司东都。白居易从大和三年（公元 829 年）后便一直在洛阳为官。

三人同在洛阳期间，刘禹锡与白居易之间、刘禹锡与李德裕之间均有诗唱酬，却唯独不见李德裕与白居易之间的唱酬。白居易一年之中多次游览平泉，却始终未曾见到他与李德裕交往的记载。

文宗朝的党争搞得朝廷上下乌烟瘴气，早已无心政事的白居易一直在刻意回避党争，与牛僧孺等人因相交多年还时有联络，对于关系相对疏远的李德裕却几乎不再联系。其实此时的李德裕也在贬谪之中，自己的前途尚不得而知。因此，对仕途心灰意冷的白居易于情于理都没有必要将自己的诗文呈送给李德裕以求得到他的赏识，李德裕将白居易的诗文封存于箱筒之中不敢看更是无稽之谈！

虽然白居易与李德裕的关系日渐疏远的确是事实，但两人之间矛盾重重却是后人的臆断。如若当时李德裕果真因担心白居易会得到武宗皇帝器重才不得已推荐他的堂弟白敏中进入翰林学士院，白敏中此后的仕途也绝不会顺畅。

实际上，正是在李德裕执政时期，白敏中一路升迁。白敏中在入职翰林学士院一年多后成为翰林学士承旨，还被赐予只有三品官才能穿的紫衣。由于翰林学士本身并无品级，需要依靠本官来确定工资待遇，白敏中的本官也一路水涨船高，先是改任兵部员外郎（从六品上阶），随后迁职方郎中（从五品上阶），又拜中书舍人（正五品上阶），再升为户部侍郎（正四品下阶）。

在短短几年时间内，白敏中便从员外郎一路升为侍郎，更为重要的是，他还成为翰林学士承旨。曾经担任过此职的李德裕深知这个职务的重要性。当时李德裕大权在握，若想从中作梗，随便寻个由头将他贬往外地，三五年内都难以迁转，或许一生都无法回京，可他却并没有这么做！

白敏中的步步高升恰恰说明李德裕对他不仅没有成见，反而颇为赏识。这说明李德裕有时能够摒弃党争，不拘一格地使用人才，也从侧面反映出李德裕与白居易其实并无多大矛盾。不过让李德裕始料未及的是，日后将他逼上绝路的居然是他当年不遗余力提携的后辈白敏中！

会昌六年（公元 846 年），白居易在洛阳溘然长逝，享年七十五岁，死后葬在了洛阳香山。香山原名龙门东山，与开凿有龙门石窟的西山（即龙门山）遥遥相对，两山间是静静流淌的伊水。

武则天曾在龙门东山修建香山寺，于是将龙门东山更名为“香山”。白居易为好友元稹撰写墓志铭曾得到六七十万钱的酬金，这些钱几乎都用来修缮香山寺。他晚年时常来香山寺煮茗烹茶、宴游赋诗，更是将自己的号定为“香山居士”。风光旖旎的香山不仅是他生前的寄托，更是他死后的理想归宿！

宣宗皇帝李忱听闻白居易去世的噩耗后也不禁写诗悼念道：“缀玉联珠六十年，谁教冥路作诗仙。浮云不系名居易，造化无为字乐天。童子解吟长恨曲，胡儿能唱琵琶篇。文章已满行人耳，一度思卿一怆然。”

当官不合格，作诗却刻苦——孟郊

天宝十载（公元 751 年），昆山县县尉孟庭玢在走廊上焦急地踱着步，随着一声清脆的啼哭，他的大儿子孟郊出生了。此时的他不会想到，自己的儿子日后居然会成为彪炳诗坛的大人物！

由于孟庭玢俸禄微薄，一家人的日子也过得很是拮据。孟郊十岁左右时，孟庭玢病逝于昆山。由于失去了经济来源，孟家人的生活变得愈加艰难。好在他的母亲裴氏是个倔强而又要强的女人，她独自挑起了家庭的重担，带着小孟郊和他的两个弟弟回到老家湖州武康县（今浙江德清县）辛苦讨生活。

某个冬日，钦差大臣来到武康县视察。县令大摆宴席，为钦差大人接风。就在这时，身穿破烂绿色衣衫的小孟郊有些不合时宜地出现了。

县太爷极为不悦地呵斥道："去去去，你这个小叫花子还不快走，莫要扫了大人的雅兴。"

小孟郊却不卑不亢道："家贫人不平，离地三尺有神明。"

钦差大臣见孟郊小小年纪便谈吐不俗，决意要难为难为他，也好让他知难而退。他看了看小孟郊的装束，得意扬扬地开口道："小小青蛙穿绿衣。"

小孟郊看了看钦差大臣身上的大红袍，又看了看桌上摆的烧螃蟹，略一沉思便回答道："大大螃蟹着红袍！"

钦差大臣心中虽气愤不已，却假装大度道："既然你对上来了，就给你在僻静处开个偏座，赏你一口饭吃！"

见小孟郊坐下吃了起来，钦差大人斜眼看他道："小小猫儿寻食吃！"

小孟郊边吃边回击道："大大老鼠偷皇粮！"

钦差大臣与县令的确贪墨了大笔救灾银粮，见他如此说，又是气恼又是心惊，却也不好再与他纠缠。

小孟郊智斗钦差大臣的故事虽然精彩，但真实性却很值得怀疑。生性孤僻的孟郊自幼便很少与人往来，应该不太可能主动去凑热闹，更不太可能与钦差大臣斗嘴。

孟郊成年后隐居在河南嵩山，那里是文人们心中的圣地——王维去过，王昌龄去过，岑参去过，他一生的挚友贾岛也去过。

暮鼓晨钟，青山孤云，孟郊就此过上了与青山为伴且与世无争的生活。不过他来这里却并非只是为了修行问禅，而是为了刻苦攻读。

击石乃有火，不击元无烟。

人学始知道，不学非自然。

万事须己运，他得非我贤。

青春须早为，岂能长少年。

三十岁至四十岁这十年间，孟郊犹如行踪不定的闲云野鹤，忽而在中原游历，忽而在江南斗茶。虽然他的阅历在不断丰富，名气也有所提升，但残酷的生活待他却是一如既往的凉薄！

贞元八年（公元 792 年），四十二岁的孟郊第一次来长安参加科考，谁知却是铩羽而归。比他小十七岁的韩愈却如愿高中。

落第举人孟郊与新科进士韩愈因这次意外邂逅而成为挚友。其实韩愈之前也曾屡屡受挫，磨难多多，这已然是他第四次参加科考了。不过孟郊却比他命运更为坎坷，仕途更为多舛。但生活的磨难也带给他源源不竭的创作灵感。他所写的诗无不经过精思苦吟，读来险奇艰涩，情深致婉，气势磅礴，连当世大文豪韩愈都叹为观止，孟郊由此名声大振。

心有不甘的孟郊又参加了转年的进士科考试，依旧以落榜而告终。他为此心灰意冷了很长时间，甚至到了怀疑人生的地步。

贞元十二年（公元 796 年），在母亲的竭力劝说下，已然四十六岁的孟郊怀着无尽的忐忑第三次走进了考场。这次他终于得到上天眷顾，如愿高中，便怀着极度兴奋的心情写下了《登科后》:

昔日龌龊不足夸，今朝放荡思无涯。

春风得意马蹄疾，一日看尽长安花。

在和煦的春风中，孟郊得意扬扬地骑着马，在长安城内纵横驰骋。到处都是欢呼的人群，到处都是艳羡的眼神，之前所有的苦闷、所有的绝望、所有的不堪如今全被一扫而光。此时他眼前的一切是那么美好，仿佛一日之间便赏尽了这世间美景。

孟郊怀着激动的心情返回家乡，将这个天大的喜讯告诉了自己的母亲——在他最绝望的时候，正是母亲的鼓励才让他坚定地走下去。

高中进士之后是苦闷而又漫长的守选，孟郊的生活并未得到明显改善，唯一的不同是总算有了盼头！

贞元十七年（公元 801 年），守选期满的孟郊来到长安参加铨选，此时他已经五十一岁了，可仕途却刚刚起步。

孟郊拜会了好友韩愈，此时距离韩愈首次来长安已经过去了十五年，距离他进士及第已经过去了九年，距离他出仕为官也已过去了五年。韩愈已然看懂了很多东西，也看透了很多东西。

望着初入仕途还有些懵懂的孟郊，韩愈告诉他当官其实并没有他想象得那么美好，语重心长地叮嘱他：

君门不可入，势利互相推。

借问读书客，胡为在京师。

举头未能对，闭眼聊自思。

倏忽十六年，终朝苦寒饥。

宦途竟寥落，鬓发坐差池。

颍水清且寂，箕山坦而夷。

如今便当去，咄咄无自疑。

对于韩愈的话，此时的孟郊还没有那么深刻的体会，依然对未来抱有一丝美好的期待，不过残酷而又冰冷的现实很快便给了他当头一棒！

孟郊毫无政治背景，也没有多高的情商，自然也就未能如愿留在朝中，而是被派到偏远小县溧阳县（今江苏溧阳）担任县尉。县尉是个又苦又累的脏活儿，压力大，问责严，高适曾因不堪忍受辞官而去。孟郊本就不善言辞，自然更加难以应对基层的种种难题，可他这个官场新人却又偏偏没有选择的权利！

自从父亲去世后，孟郊便一直与母亲裴氏相依为命。他割舍不下年事已高的老母亲，便带着母亲一同前往溧阳赴任。

这些年，正是母亲的鼓励与关爱，才使得孟郊在绝望中一路走来。如今虽仍不如意，也没能成为母亲的骄傲，但毕竟有了一官半职，可以更好地侍奉含辛茹苦的老母：

慈母手中线，游子身上衣。

临行密密缝，意恐迟迟归。

谁言寸草心，报得三春晖。

对于孟郊这位常年颠沛流离、居无定所的游子而言，最值得回忆的莫过于母子陪伴时的场景。母亲拿起针线为即将远行的孟郊缝制衣衫，缝得密密麻麻、严严实实，唯恐自己的孩子此去久久不归。

如今孟郊的生活终于安定下来，母子再也不用分开了！

孟郊虽是个好诗人，却不是个好官，时常会抛下令人生厌的政务，来到溧阳城外的濑水（今溧水）边，看着眼前的风景，吟诵着心中的诗歌——在悠悠天地间，前不见古人，后不见来者，眼中唯有自己，心中唯有诗歌！

遇上如此不靠谱的县尉，县令气愤之余也是无可奈何，只得另外请了一个精通政务之人代为处理本该由孟郊处理的政事。但人家也不是什么“活雷锋”，于是县令便将原本属于孟郊的薪俸分给那人一半。不务正业的孟郊只能拿到半俸，日子过得自然穷苦，可这又怨得了谁呢？

贞元二十年（公元 804 年），郁郁不得志的孟郊正式辞去县尉之职。官场生活带给他的是无穷的落寞和无边的愁苦，此时他才发现，之前苦苦追求的生活其实并不是他真正想要的，于是他渴望着离开，渴望着挣脱！

辞官而去的孟郊看似彻底自由了，但人生在天地间，又哪里会有真正的自由？挣脱了官场的枷锁，却挣不脱生活的枷锁。世人终日忙忙碌碌，只为这碎银几两，偏偏这碎银几两，能解千种悲伤，能解万种惆怅！

元和元年（公元 806 年），宰相郑余庆下野后出任河南尹。在韩愈的推荐下，五十六岁的孟郊再度出山，在郑余庆手下做事，任试协律郎（正八品上阶）、河南府水陆运从事。巧合的是，韩愈入幕时也曾担任过试协律郎这个阶官。其实两人都不怎么懂音乐，只酷爱文学！

孟郊中断的仕途终于有了些许起色，日子也渐渐变得宽裕起来。他将家安在洛阳立德坊，结束了四处漂泊的日子。

可就在一切都慢慢变好之际，孟郊的幼子却突然去世。巨大的丧子之痛使孟郊再度变得消沉，还多了几分迟暮。

福无双至，祸不单行，孟郊此生最敬重的母亲居然也离他而去！他只得怀着悲痛的心情辞官回家丁忧，生活再度陷入困顿之中。

不过孟郊的老上司郑余庆却并未忘记他。郑余庆于元和九年（公元

814年）出任兴元尹、山南西道节度观察使，于是上奏朝廷征辟孟郊为试大理评事、山南西道节度参谋。

此时六十四岁的孟郊贫病交加，生活困顿，听闻老上司征召自己，欣然从命——他知道在这世间仍旧惦记着他的人已然不多了。

孟郊迈着蹒跚的步履离开了熟悉的洛阳，向着兴元府缓缓而去，可走到阌乡县（今河南灵宝）的时候却暴病而亡。不过他又因留下了许多脍炙人口的诗篇，好似始终未曾离开过。

孟郊是个不善交际的人，他此生的挚友贾岛也是如此。他们总喜欢沉浸在自己的世界里，“夜学晓未休，苦吟神鬼愁”。两人的苦吟，既是没日没夜的辛苦吟诵，也是因苦而吟。他们因江河日下而苦，当时盛唐气象已逝，大唐气魄已失；也因自身遭遇而苦，科考屡屡失利，为官苦不堪言。他们不知路在何方，亦不知梦在何处！

在两人寥寥无几的朋友之中，对方始终是不可或缺的。孟郊虽比贾岛大二十八岁，两人却成为情投意合的忘年交。在贾岛的眼中，孟郊是诗坛前辈，也是同道好友，更是人生榜样！

听闻孟郊去世的消息后，贾岛悲痛地写道：

身死声名在，多应万古传。

寡妻无子息，破宅带林泉。

冢近登山道，诗随过海船。

故人相吊后，斜日下寒天。

贾岛哭孟郊其实也是在感怀他自己——无论是性格还是遭遇，两人都实在太像了，仿佛就是镜中的自己。

冥冥之中自有天意，孟郊去世时，贾岛哭孟郊；等到贾岛离去时，高僧可止在哭他：

燕生松雪地，蜀死葬山根。

诗僻降今古，官卑误子孙。

冢栏寒月色，人哭苦吟魂。

墓雨滴碑字，年年添藓痕。

他们哭的是别人，更是自己。他们虽已去世，但他们的名还在，他们的诗还在，他们的精神也还在！

天分不够，努力来凑——贾岛

孟郊死葬北邙山，

从此风云得暂闲。

天恐文章浑断绝，

更生贾岛著人间。

在韩愈的眼中，贾岛是从天而降的孟郊的传承人，只要贾岛还在，孟郊便未真正死去。

其实贾岛比孟郊更为凄苦，一直过着半僧、半俗、半仙的日子。他曾为了入仕挑灯苦读，却是屡战屡败，为官之后又始终未能得到朝廷重用，以至于壮志难酬。他将写诗当作此生唯一的追求，无论炼字还是炼词，无论炼句还是炼意，他几乎都进入了癫狂的境界，也赢得了“苦吟诗人”的名号。

大历十四年（公元 779 年），幽州范阳县（今河北涿州）一个普通的农家院中，一对夫妇望着怀中哇哇啼哭的男婴，忍不住发出了一声叹息。对于贾岛的到来，他们既兴奋，又有些彷徨。他们都是质朴的农民，多了一张嘴吃饭，自然也就增加了家中的经济负担。

俗话说：“穷人的孩子早当家。”贾岛小小年纪便开始帮助父母做家务活，但无论他们如何努力，日子依旧过得很是拮据。

贞元九年（公元 793 年），贾岛被迫离开家乡。生计无着的他只得在北岳恒山出家为僧，法号无本，自号碣石山人。后来他又辗转嵩山等地为僧。

不过，身在佛门的贾岛未能忘却尘世间的烦恼与牵挂。他在洛阳龙门香山寺为僧时，寺院规定僧人午后不得出寺，一向崇尚自由的贾岛怎能受得了如此束缚，不禁叹道："不如牛与羊，犹得日暮归。"连牛羊都能日暮而归，可他却不能！

元和六年（公元 811 年），年逾三十的贾岛云游到河南，与担任河南县令的韩愈不期而遇。有记载称两人相识时，韩愈已然成为京兆尹，其实韩愈担任此职是在长庆三年（公元 823 年），也就是他去世前一年，但两人的相识时间显然要早上许多，相识之地也是洛阳而非长安！

贾岛与韩愈的相遇颇有戏剧性。那日，贾岛去郊外拜访自己的朋友李凝，但李凝并不在，于是他便在李凝府邸大门上写了一首诗《题李凝幽居》：

闲居少邻并，草径入荒园。

鸟宿池边树，僧推月下门。

过桥分野色，移石动云根。

暂去还来此，幽期不负言。

次日，贾岛骑着毛驴，孤独地走着，琢磨着那一句究竟是用"推"字好，还是用"敲"字妙。

贾岛不知不觉间竟然冲撞了前面的仪仗队，赶忙下驴赔不是，发现被自己冲撞之人居然就是心心念念的前辈韩愈。他将心中的困惑说与韩愈听，韩愈听后觉得用“敲”字更好些：敲门说明那是一个有礼貌之人，况且夜已经深了，门或许已然关上了。深夜时分，敲门声可以为幽静的画面平添几许动感。贾岛听后对韩愈愈加佩服，这也成为“推敲”这个词的来历。

贾岛这个“苦吟诗人”就此给韩愈留下了深刻的印象。仕途坎坷的韩愈是个极为爱才之人，总会凭借自己在政坛与文坛上的巨大影响力，不遗余力地帮助那些有志青年尽快脱颖而出，迅速成长为朝廷栋梁。

之后，韩愈奉调入京，担任职方员外郎，贾岛也随之来到了长安。

那日，只知终日苦吟的贾岛骑着跛驴打着伞横穿大道。一阵秋风掠过，树上掉落下来的枯叶堆积在一起，他随口吟道：“落叶满长安。”他苦苦思索着该如何接下一句，却是茫然无所得。忽然他想到了“秋风吹渭水”，一时间喜不自禁，却意外冒犯了京兆尹刘栖楚的车队，被关了一夜，天亮时才获释。

贾岛来长安之初居住在青龙寺中，结识了比自己年长二三十岁的孟郊、乐府诗代表诗人张籍等人。贾岛与他们时常来往，彼此唱和，日子过得还算惬意。

在韩愈的积极鼓励之下，贾岛这个曾经云游四海的僧人下定决心脱下僧袍还俗，三十四岁的他准备迎接新的人生。

贾岛发愤苦读，渴望能在考场上考取功名，却屡屡名落孙山。其间，他经历过饥饿、困顿与疾病，也曾沮丧过、绝望过，还曾怀着极其悲痛的心情写下了《下第》：

下第只空囊，如何住帝乡。

杏园啼百舌，谁醉在花傍。

泪落故山远，病来春草长。

知音逢岂易，孤棹负三湘。

即便身体染恙，穷愁潦倒，前途未卜，贾岛也没有轻易放弃过。他始终不坠青云之志，还托物言志写下了《剑客》：

十年磨一剑，霜刃未曾试。

今日把示君，谁有不平事。

不过时间长了，贾岛的意志也渐渐被消磨。他开始发牢骚，写下了《病蝉》：

病蝉飞不得，向我掌中行。

拆翼犹能薄，酸吟尚极清。

露华凝在腹，尘点误侵睛。

黄雀并鸢鸟，俱怀害尔情。

贾岛将自己比作想要振翅高飞却难以如愿的病蝉——腹中虽凝有露华，却被灰尘蒙蔽了双眼，还指出加害自己的凶手就是黄雀与鸢鸟。

长庆二年（公元822年），贾岛再度参加科考，别有用心的考生们拿出他所作的那首《病蝉》，指责他因屡屡落第而心生不满，蓄意用恶毒言辞攻击朝中公卿，贾岛就此被逐出了考场。

据《唐才子传》记载，贾岛进士及第后寓居在法乾无可精舍之中。宣宗皇帝李忱微服出游，行至寺中，闻人吟诗，便循声登楼，见案上摆放着诗卷，便饶有兴趣地拿起来观看，谁知却被身后的贾岛一把夺了去。贾岛瞪着他嚷道："郎君鲜食美服，哪里会懂这个？"

等到宣宗皇帝准备下楼时，贾岛似乎猜出了他的身份，赶忙伏地谢罪，但他指斥皇帝不懂诗也就此成为一段佳话。

关于贾岛是否曾进士及第，目前还缺乏明确的史料记载，指斥皇帝不懂诗这件事也存疑。不过他的确当上了官，他曾被朝廷任命为长江县主簿，人称"贾长江"。此时的贾岛已然五十九岁了，若是生活在今天马上就要退休了，可人家的仕途才刚刚起步。

贾岛终于圆了自己的当官梦，但身在官场的他却总会生出身心俱疲之感，反而时常回忆起那段皈依佛门的清幽日子，那是何等的惬意而又祥和！

开成五年（公元 840 年）九月，贾岛的长江县主簿任期届满，改任普州司仓参军。三年后，贾岛在普州官舍中去世，享年六十四岁，临终之际，家无一钱，唯病驴、古琴而已。

贾岛半儒半僧，亦诗亦禅，年轻时四处流浪，身体一直在路上；中年以后努力写诗，灵魂永远在路上。无论是生活疾苦，还是科举失利，都没能荒芜他那颗写诗的心。他依旧爱着生活，爱着那个对他颇为残酷的世界。

在一众才华横溢的大诗人中间，其实贾岛的天分并不算高，可他却通过自己的不懈努力弥补了天分的不足，以至于宋初时期，宋诗形成了学习他、白居易、李商隐三派。

贾岛曾在《送无可上人》这首诗的下面写了这样一段“随笔”：“两句三年得，一吟双泪流。知音如不赏，归卧故山秋。”两句诗写了三年之久未免有些夸张，但贾岛甘于苦吟却是不争的事实，每句诗、每个字他都会反复锤炼与推敲，成诗后又似一气呵成、宛若天成，为此付出了多少艰辛，耗费了多少心血，只有他自己知晓。

作诗虽辛苦，但诗歌却成为贾岛生活中不可或缺的一部分。他曾在《戏赠友人》中写道：

一日不作诗，心源如废井。

笔砚为辘轳，吟咏作縻绠。

朝来重汲引，依旧得清冷。

书赠同怀人，词中多苦辛。

每年除夕夜，贾岛都会把一年所作诗歌全都拿出来放在几案上，焚香祭拜，将手中的酒洒在地上，说道：“这是我一年来的苦心之作！”

贾岛对诗是那么虔诚，那么珍视，如若没有心中的那些诗，或许他早就迷失了生活的方向。正是因为有了那些诗，他才活出了让后人敬仰膜拜的人生！

| 延伸阅读 | 宰相多是三品官

唐朝宰相大多会作诗，不过大诗人中位至宰相之位的却只有元稹一人，白居易很遗憾地与宰相之位屡屡擦肩而过。然而，“宰相”这一让众多诗人魂牵梦绕的职位，甚至连一品官都算不上，这到底是为什么呢？

实际上，唐朝的宰相并非具体职务，而是泛指参与最高决策的官员。具体包括哪些官员，在不同历史时期有着很大的差异。纵观大唐历史，担任宰相的多是三品官。一、二品职事品级虽高，但权却不重。高官往往更难驾驭，容易给皇权带来威胁，因此宰相多为三品官，最低为五品官。这使得宰相们还有上升的空间，自然会更加尽心竭力地为皇帝做事。如李德裕在武宗朝担任宰相之初为门下侍郎（正三品）、同中书门下平章事，后因辅政有功升为司空，再升为司徒，最后升为太尉。如果皇帝对谁不满意，既想撤换他，又不愿伤害彼此的感情，往往会将他的本官提升一级，再免去他的宰相职衔。比如张九龄被罢免宰相后出任尚书右丞相（即尚书右仆射，从二品），虽然品级提高了、待遇提升了，但实权却被剥夺了。

第七章 此情可待成追忆
——共谱晚唐悲歌的落寞客

卷入党争蹉跎一生——李商隐

李商隐是个苦孩子，不到十岁父亲便离他而去，只得与母亲相依为命，一直过着艰苦清贫的日子。作为家中长子，他早早便承担起家庭重任。由于“五岁诵经书，七岁弄笔砚”，他从很小的时候便开始为别人抄书挣钱，贴补家用。十六岁时便练就了一手秀丽工楷，写得一手锦绣文章，在当地小有名气。

大和三年（公元829年），李商隐举家迁往洛阳，在繁华的东都结识了白居易、令狐楚等仰慕多时的前辈。

白居易非常喜爱李商隐的诗，曾经开玩笑地说：“我希望死后能够投胎当你的儿子。”后来李商隐的大儿子出生后便取名为“白老”，可这个儿子却天生蠢笨，毫无白居易的风范，反而是小儿子颇为聪慧。此事一度成为人们茶余饭后的笑谈，大家纷纷说白居易定然是投错了胎。

不过，此时的白居易已然对朝政心灰意冷，主动要求改任闲职，来到洛阳养老，不能在仕途上给予李商隐多少提携。可令狐楚却有所不同，他曾为宪宗朝宰相，与李商隐相识时为检校兵部尚书、东都留守、东畿汝都防御使，可谓是洛阳首屈一指的实力派人物。

李商隐时常拜谒令狐楚这位老前辈，令狐楚也极为欣赏李商隐的文才，还特地让李商隐与其子令狐绹一起学习，两人很快成为惺惺相惜的挚友。

令狐楚离开洛阳后改任郓州刺史、天平军节度使、太原尹、河东节度使，他不忍抛下李商隐，便将其聘为巡官。不过此时的李商隐并未获得朝廷颁赐的出身，虽有职任，实际上却是以白衣效力。

李商隐随令狐楚先后前往郓州、太原等地任职，一边努力工作，一边积极应试。不过他的科考之路却极为坎坷，在长达十余年的时间里屡试不中，以至于他本人都渐渐灰心绝望了。

大和七年（公元833年），令狐楚被调回朝中担任吏部尚书，但朝官不允许私自征辟幕僚，李商隐这个编制外工作人员只得黯然离开，另寻出路。

李商隐前往王屋山学道，那里山势巍峨，林木繁茂，道观宫庙比比皆是。虽然此时他只有二十一岁，却已然开始反思人生。由于屡屡失利，李商隐一气之下竟将自己呕心沥血所写作品统统付之一炬，不再行卷纳卷。

开成二年（公元 837 年），在令狐楚的奔走呼吁下，在令狐绹的积极运作下，李商隐这才如愿高中进士。

早在七年前，才华远逊于李商隐的令狐绹便已高中进士。到了晚唐，权贵子弟们越来越热衷于通过进士科入仕，考场外的暗战也日趋激烈。那些毫无政治背景的考生若想高中，必须要结交权贵，否则很难再有出头之日。

开成二年（公元 837 年）冬，李商隐的恩师令狐楚病逝，他怀着极其悲痛的心情协助好友令狐绹料理其父亲的丧事。可让人大跌眼镜的是，刚刚失去政治靠山的李商隐居然很快便改换门庭。

应河阳节度使王茂元之邀，李商隐前去充任他的幕僚。王茂元也如令狐楚那般欣赏李商隐的才华，还将自己的女儿王晏媄嫁给了他。

正是在爱情的滋润之下，李商隐的无题诗变得色彩斑斓。“身无彩凤双飞翼，心有灵犀一点通”“相见时难别亦难，东风无力百花残”“春蚕到死丝方尽，蜡炬成灰泪始干”“春心莫共花争发，一寸相思一寸灰”……这些诗虽然无题，却都很有名，每每读起来都会让人有落泪的冲动。

抱得美人归的李商隐虽享受着从未体尝过的爱情的甜蜜，不过令他始料未及的是，他的美满姻缘居然是以他原本光明的仕途为代价的。

李商隐的岳父王茂元素来与李党党首李德裕交好，可令狐楚父子却属于牛党，两党向来泾渭分明，彼此攻讦。李商隐在恩师尸骨未寒之际，为了自身利益游走于两党之间，自然被视为一种背叛。他一时间饱受抨击，以致深陷牛李党争的政治漩涡之中难以自拔。

李商隐随后参加了当年举行的铨选，原本还算顺利，谁知却在复审时被除名，直到一年后再度参加铨选时才被顺利授官，成为秘书省校书郎，但很快又被调往弘农县担任县尉。弘农县为虢州治所，虽也属繁华之地，却比长安要逊色许多。对李商隐来说，此番职务变动不仅仅是品级有所下降，前途也陡然间黯淡下来。

李商隐在弘农任职期间屡受排挤，还因替死囚减刑而受到上司陕虢观察使孙简的责难，于是他愤而请了长假。不过孙简很快便被调走了，新任观察使姚合到任后竭力安抚李商隐，这才让他勉强留了下来。但最终李商隐还是因郁郁寡欢辞职而去。

之后，李商隐参加了科目选书判拔萃科考试，顺利通过后授秘书省正字（正九品下阶）。虽比初入仕途时担任的校书郎品级还要低，但他却借此再度回到朝中，比偏居一县担任县尉要好上许多。

可偏偏在这个关键时刻，李商隐的母亲却突然去世了，他不得不辞官回家。他闲居在家的这段时间，是李党党首李德裕一生之中最为辉煌、最为得志的时候。

自从迎娶了王晏媄，李商隐便与李党人士越走越近，更是获得了李德裕的赏识。若此时他依旧在朝为官，也会像其他李党人士那样前途不可限量。

谁知屋漏偏逢连夜雨，就在丁忧期间，李商隐的岳父王茂元在讨伐刘稹叛乱时不幸病故。失去了岳父的庇佑，李商隐这个小小的九品官今后的处境无疑将会变得愈加艰难。

会昌五年（公元 845 年）十月，守孝期满的李商隐重新回到秘书省，继续担任正字，不过朝中却马上要变天了。

次年，武宗皇帝李炎病逝，新登基的宣宗皇帝李忱极为厌恶李德裕这位前朝重臣，随即开始了一场政治大清洗，李党人士相继黯然退场，牛党人士纷纷占据要职。李商隐昔日好友令狐绹也得以在政坛上崭露头角，后来竟然还身居相位长达十年之久，成为最受宣宗皇帝器重的宰相。不过此时的李商隐早就与令狐绹渐行渐远。

大中元年（公元 847 年），李党人士郑亚被贬为桂管观察使，他邀请李商隐与自己一同前往桂州任职。李商隐愿意跟随一位前途未卜的贬谪官员远赴岭南，可见他当时处境之艰难。不到一年的光景，郑亚便被贬为循州刺史，李商隐也随之失去了工作。

次年秋，李商隐灰头土脸地回到长安，穷困潦倒之际，只得放下自尊给故友令狐绹写信，希望他能念及旧情，在自己最困难的时候拉兄弟一把，谁知遭到对方的冷遇。

李商隐仍不死心，曾经专程前去拜访令狐绹，但令狐绹并不在府上。他居然在厅内题了一首诗：

曾共山翁把酒时，霜天白菊绕阶墀。

十年泉下无人问，九日樽前有所思。

不学汉臣栽苜蓿，空教楚客咏江蓠。

郎君官贵施行马，东阁无因再得窥。

李商隐委婉地讽刺令狐绹忘记旧日友情。令狐绹回来看到这首诗后既惭愧又恼怒，于是令人将此厅锁了起来，终生都不曾打开。其实恼羞成怒的令狐绹原本想要铲掉写有题诗的墙壁，但诗中却出现了他父亲的名字，也就是“楚”字，只能就此作罢。令狐绹为此愈加嫉恨李商隐，两人之间的关系也彻底破裂。

李商隐此举受到李党人士的抨击，说他故意巴结逢迎牛党，可谓是两边不讨好。不过后来凭借自身的不懈努力，他谋得盩厔县县尉的职位。十年时间兜兜转转，官职依旧低微，前途依旧渺茫，落寞之余，他只能感慨时运不济。

大中三年（公元 849 年）九月，在武宁军节度使卢弘止的盛情邀请之下，仕途困顿的李商隐前往徐州任职。卢弘止遵循法律，善于理财，严于治军，忠于朝廷，在朝野间以能干、善干著称，李商隐自认为跟着这样的人定然能混出一片天地。

不过年事日高的卢弘止身体每况愈下，只得以年老为由请求致仕。但朝廷却不许，将其升任为宣武军节度使，最终他病逝在任上。李商隐追随卢弘止一年多之后，不得不另谋生路。

大中五年（公元 851 年）春夏间，李商隐的妻子王晏媄病逝，这对夫妻深爱彼此，却又半世流离。

仕途坎坷的李商隐多年来一直在外游历漂泊，多少个漫漫长夜，他无心睡眠，望着窗外的星空与明月，思念着远方的家人。夫妻二人虽一直都是聚少离多，但痴心的夫人却毫无怨言，始终在家中苦苦等候着他的归来。

王晏媄虽出身名门，却丝毫没有娇生惯养的“公主病”，这些年来一直尽心竭力地操持着家务，支持并关爱着丈夫。李商隐因此对妻子怀有歉疚之心，如今夫人就这么走了，未能见上她最后一面，自然是悲痛万分。

李商隐自此变成了那个“无人问我粥可温，无人与我立黄昏”的孤独之人。无论是踏上前途未卜的征途，还是重回昔日温馨的家中，都再也没有了嘘寒问暖的关心，再也不见了琴瑟和鸣的场景。

李商隐朦胧时隐隐觉得夫人未曾走远，似乎一直就在自己的身边。可当他清醒后，却又认识到剩下的路只能由他独自去走。他一下子便苍老了许多，只因前程无望，爱情已逝。

这年秋天，剑南东川节度使柳仲郢向李商隐发出了邀请。在李商隐的眼中，这或许是自己最后的机会，他自然格外珍惜。他简单安顿好家中事务后便立即前往四川任职。但理想很丰满，现实却很骨感！

李商隐在梓州度过了四年的幕府生活。他总是郁郁寡欢，崇佛成为他排遣郁闷的唯一方式。他与当地僧人交往频繁，还曾捐钱刊印佛经，甚至一度想过要出家为僧，彻底远离世间的纷纷扰扰。虽然未能如愿遁入空门，他却领悟了诸行无常、诸法无我、一切皆苦等佛教真谛，借此获得了一定程度的解脱。

大中九年（公元855年），柳仲郢被调回京城任职，临走前还特地安排李商隐担任盐铁推官。这个官品阶虽低，却主管盐铁等财政收入，可谓是个待遇优厚的肥缺。李商隐在这个职位上干了两三年后便回乡闲居，他的仕途生涯也就此终结。

在人生的最后时刻，李商隐在长安乐游原发出了“夕阳无限好，只是近黄昏”的慨叹，随后便回到了家乡郑州荥阳，在孩子们的陪伴中走完了自己的一生。

李商隐处于牛李党争的夹缝之中，一生都不得志，久居下僚，抑郁失志。面对黯然的仕途与逝去的爱情，李商隐在忐忑不安中纠结着、煎熬着，心中万千思绪交织成一张无题的网，千百年来不知网住了多少人的心，也让多少人情难自禁、潸然泪下！

沉迷于青楼的大才子——杜牧

杜牧是名副其实的权贵子弟，祖父杜佑是德宗、顺宗、宪宗三朝宰相，后来官居司徒（正一品）。杜牧自幼便受家庭熏陶，政治才华出众，不似李白等人只知吟诗作赋。他还曾一度热衷于军事，为兵书《孙子兵法》做注解，且极为关心时政，写过许多策论咨文，也渴望着似祖父那样在大唐历史上留下浓墨重彩的一笔！

虽然杜牧出生时家道已然中落，但他家毕竟是官宦之家，给他留下了不少资财。不过最令他引以为傲的，还是家中丰富的藏书。他曾这样炫耀：

……

我家公相家，剑佩尝丁当，

旧第开朱门，长安城中央。

第中无一物，万卷书满堂；

家集二百编，上下驰皇王。

……

杜牧的才华也的确配得上他的骄傲。他二十三岁时便写下了光耀千古的《阿房宫赋》，用极其华丽的语言描绘了阿房宫的壮观，还总结出“灭六国者六国也，非秦也。族秦者秦也，非天下也”，入木三分的阐述犹如警钟般响彻华夏大地：大唐若再不及时改变，将会如六国那样被灭，如秦朝那样覆亡！

知识小贴士：阿房宫果真如《阿房宫赋》描绘得那么壮美吗

阿房宫曾一度与万里长城、秦始皇陵、秦直道并称为“秦始皇的四大工程”，被誉为“天下第一宫”。《阿房宫赋》中有“楚人一炬，可怜焦土”，以至于后人普遍认为是楚霸王项羽焚毁了气势恢宏的阿房宫。

阿房宫考古工作队曾对秦阿房宫前殿遗址进行全面钻探，却并未发现红烧土的迹象，由此判断这里并没有遭受过大火焚烧，也没有发现瓦当等建筑残骸，进而确认阿房宫前殿其实并没有最终建成，只是建成了夯土台基及其北墙、东墙和西墙。也就是说，杜牧所描绘的气势恢宏的阿房宫其实是个烂尾工程。

杜牧的家位于长安城安仁里，也就是小雁塔所在的里坊，与阿房宫直线距离 12.3 公里，相距并不远，不过他生活的时代距离秦朝灭亡已过去了一千余年的时间。当时年幼的敬宗皇帝李湛只知追求享乐，大修宫室，宴饮无度。杜牧写《阿房宫赋》的目的就是借古讽今，规劝皇帝清心寡欲，勤政爱民，至于阿房宫究竟是什么样子，杜牧也只能依靠自己的想象来写。

不过项羽焚烧阿房宫也并非无根无据。《史记》记载：“项羽遂西，屠烧咸阳秦宫室，所过无不残破。”若如此，项羽进入关中后的确曾焚烧秦朝咸阳宫殿。不过阿房宫距离秦朝都城比较远，况且那时阿房宫并未建成，自然也就没有焚毁的必要。

两年后，杜牧写下了长篇五言古诗《感怀诗》：

……

关西贱男子，誓肉虏杯羹。

请数系虏事，谁其为我听。

荡荡乾坤大，曈曈日月明。

叱起文武业，可以豁洪溟。

安得封域内，长有扈苗征！

七十里百里，彼亦何尝争。

往往念所至，得醉愁苏醒。

韬舌辱壮心，叫阍无助声。

聊书感怀韵，焚之遗贾生。

这首诗描绘的是山河日下的景象，鞭挞了藩镇的跋扈，也揭露了朝廷的无能。在杜牧的眼中，诗歌不仅能充作感怀娱乐之用，而且是表达政治见解的利器。

杜牧的眼界与学识超出那些只知吟诗作赋的诗人太多太多。望着满目疮痍的山河，念着日薄西山的大唐，杜牧曾暗暗立下鸿鹄之志：“挽狂澜于既倒，扶大厦之将倾。”可他却屡屡碰壁，曾解嘲说：“自亦笑荒唐。”

大和二年（公元828年），二十六岁的杜牧参加了科考。太学博士吴武陵将他隆重地介绍给主考官礼部侍郎崔郾，还特地呈上了那篇脍炙人口的《阿房宫赋》，崔郾看后惊叹不已。

吴武陵趁机说："请侍郎大人点杜牧为状元。"

崔郾却说："不好意思，已经有人了！"

吴武陵只得道："前三名也行！"

崔郾苦着脸："不好意思，也已经有人了！"

吴武陵继续道："实在不行那就前五名！"

崔郾却依旧陷入无尽的沉默之中。

吴武陵情绪激动道："如若连前五名都不行，那我可就将此赋退还给本人了！"吴武陵此言无异于将了崔郾一军。其实崔郾也是爱才之人，刚刚也被那篇气势恢宏的《阿房宫赋》震撼到了，可很多席位早在开考前便已然内定了。不过，他最终还是有些为难地答应了吴武陵。吴武陵之所以要为杜牧苦苦争取，是因为只有前五名的试卷才会被呈送给皇帝御览。

杜牧如愿高中，怀着喜悦的心情与朋友们前往曲江池游玩。曲江两岸，宫殿连绵，楼阁起伏，垂柳如云，花色人影。一行人来到曲江寺院，恰巧遇见一位打坐的僧人，随即攀谈起来。僧人问起杜牧姓名，杜牧很是得意地告诉对方，颇有些"天下谁人不识我"的意味，可那个僧人听后却是平静如水。杜牧顿感落寞惆怅，于是赋诗道：

北阙南山是故乡，两枝仙桂一时芳。

休公都不知名姓，始觉禅门意味长。

新及第的进士通常要守选三年，但杜牧是个例外。仅仅八个月后，他便被江西观察使沈传师辟为试大理评事、江西团练巡官。此时"入幕"已然成为新科进士们的上佳选择，因为升迁快，待遇好。但如若不是权贵子弟，抑或惊天奇才，便很难获得“入幕”的机会。沈传师年轻时曾得到杜牧祖父杜佑的赏识和提拔，杜佑还将自己的表外甥女许配给沈传师，如今他已然成为封疆大吏，自然要投桃报李，格外关照杜牧这位恩公子弟。

杜牧兴冲冲地来到洪州，开启了自己长达七年的幕僚生涯。沈传师后来改任湖南观察使、宣歙观察使，杜牧也随之辗转潭州、宣州等地。

杜牧在沈传师府上邂逅了能歌善舞、长相娇媚的张好好。那时的张好好只有十三岁，犹如含苞待放的青莲，别有一番风韵。杜牧虽对她心生爱慕，但此时他却只是个卑微的幕僚，只得强压住内心的情愫。两年后，沈传师的弟弟沈述师却抢先将张好好纳为小妾，杜牧空有羡鱼之情，却只能望洋兴叹。

大和七年（公元 833 年），沈传师回朝担任吏部侍郎，杜牧随后被淮南节度使牛僧孺征辟，先任推官一职，后转为掌书记，朝衔为监察御史里行。杜牧在扬州虽只待了三年，但扬州却成为他一生都难以忘怀的地方。

杜牧在青楼之中流连忘返，那里有曼妙的身影，清丽的歌喉，更有无尽的温柔。他有时还会前往一江之隔的秦淮河畔，看着眼前的灯红酒绿，听着耳边的情歌艳曲，有时沉迷，有时清醒，写下了那首《泊秦淮》：

烟笼寒水月笼沙，夜泊秦淮近酒家。

商女不知亡国恨，隔江犹唱后庭花。

这首意境悲凉的诗寓情于景，语言精练，构思巧妙，巧妙地将写景、抒情、叙事融为一体，尤其借助陈后主陈叔宝荒淫无度终至亡国的那段历史，对那些江河日下时仍在醉生梦死的当权者进行了辛辣的讽刺。

大和九年（公元 835 年），三十三岁的杜牧被朝廷召回朝中担任监察御史。临别之际，杜牧对风光旖旎的扬州恋恋不舍，曾专门写下《赠别二首》:

其一

娉娉袅袅十三余，豆蔻梢头二月初。

春风十里扬州路，卷上珠帘总不如。

其二

多情却似总无情，唯觉樽前笑不成。

蜡烛有心还惜别，替人垂泪到天明。

杜牧毕生都深爱着扬州，在给扬州旧友判官韩绰写信时仍旧对那里的美景与美女念念不忘。

青山隐隐水迢迢，秋尽江南草木凋。

二十四桥明月夜，玉人何处教吹箫。

每当仕途失意时，杜牧都会不由自主地想起扬州，流连于那里的湖光水色，沉迷于那里的莺歌燕舞，陶醉于那里的淮扬美食，还有在那里邂逅的人，遇到的事，留下的情!

杜牧后来追忆十年前如梦如幻的扬州岁月，有感而发写下了《遣怀》:

落魄江湖载酒行，楚腰纤细掌中轻。

十年一觉扬州梦，赢得青楼薄幸名。

春风十里的扬州埋藏着杜牧三生三世的梦，扬州因杜牧而变得摇曳生姿，但杜牧却因扬州而被世人觉得风流放达。

大和九年（公元 835 年）八月，分司东都的杜牧离开长安，前往洛阳赴任，仅仅三个月后，朝中便爆发了震惊朝野的“甘露之变”。李训、王涯、贾悚、舒元舆四位当朝宰相全都丧命，同时还有大量官员被屠杀，文宗皇帝就此彻底沦为宦官仇士良手中的傀儡。

远在洛阳的杜牧虽侥幸逃过一劫，却一直在关注朝中动向。可面对当下危局，他这个微末小官束手无策。

不过杜牧却在洛阳意外邂逅了六年未曾相见的张好好。如今的张好好已然被沈述师残忍抛弃，曾经那个初吐清韵、风姿绰约的小姑娘沦为了洛阳城中的卖酒女。杜牧见到此情此景，多少辛酸情愁顿时涌上心头。张好好娇滴滴道：“怪我苦何事，少年垂白须。”杜牧朝她浅浅一笑，竟泪洒衣襟，写下了那首为人所熟知的《张好好诗》：

君为豫章姝，十三才有余。

翠茁凤生尾，丹叶莲含跗。

……

斜日挂衰柳，凉风生座隅。

洒尽满襟泪，短歌聊一书。

杜牧在洛阳任职期间很是清闲，于是四处凭吊古迹，写下了不少诗篇，其中最脍炙人口的便是《过华清宫绝句》三首中的第一首：

长安回望绣成堆，山顶千门次第开。

一骑红尘妃子笑，无人知是荔枝来。

开成二年，杜牧来到宣歙观察使崔郸麾下充作团练判官，听闻湖州美女如云，便启程前往湖州游玩。

由于杜牧是观察使身边的红人，湖州刺史崔君素自然是盛情款待，还投其所好地将本州所有名妓全都唤来供其挑选。杜牧长年混迹于扬州各大青楼之中，无论是冷艳的，还是妖媚的；无论是清纯的，还是性感的，他全都见识过，眼光变得越来越高，品位也变得越来越高。

杜牧看了看，见没人能入得了他的法眼，有些遗憾地说："这些女子美是美，却都有些美中不足，不如在江边举办一场竞渡，让全湖州的百姓都前来观看。到时候我自会在人群中慢慢搜索、细细寻找，或许能找到中意之人！"

竞渡那日，两岸站满了围观的百姓，杜牧挑了整整一天都未能找到称心如意的女子。直至傍晚时分，即将收船靠岸之际，他忽然在人群中发现一位乡村老妇领着一个十几岁的女孩子缓缓走来。杜牧看到后激动地说："此女真乃天姿国色，先前那些人在她面前全都不值一提！"

崔君素见状赶忙命人将母女俩请到船上谈话。杜牧说明用意后，无论是母亲还是女儿都有些惶恐不安。杜牧却笑笑说："在下并非马上便要娶她，今日只是定下迎娶之期。"

老妇人说："将来若是违约失信，又当如何呢?"

杜牧说："不出十年，我必会来这里当刺史。若是过了这十年之期，您让您的女儿嫁给他人便是了!"

女孩的母亲点头同意，喜出望外的杜牧给了她一份颇为贵重的聘礼。

杜牧在宣州任职期间还曾路过乌江亭，对当年项羽负气自刎充满了惋惜。项羽之所以会落得凄惨下场，是因为他不善于把握机遇，不善于听取建议，不善于识人用人。面对挫折，刚烈的项羽竟选择一死了之，彻底失去了卷土重来的机会。杜牧有感而发，写下了著名咏史诗《题乌江亭》:

胜败兵家事不期，包羞忍耻是男儿。

江东子弟多才俊，卷土重来未可知。

开成四年（公元 839 年）年底，杜牧离开宣州，前往长安担任左补阙、史馆修撰，后升任膳部员外郎，再调任比部员外郎。就在他的仕途刚刚有所起色之际，他却被突然贬为黄州刺史，而黄州一向被京官们视为"鄙陋州郡"。

至于此番被贬的原因，史书中并没有留下相关记载，不过杜牧却认为是受到了宰相李德裕的排挤。其实李、杜两家原本是世交，但李德裕却并不怎么喜欢为人倜傥、不拘小节的杜牧，况且杜牧又与牛党党首牛僧孺私交甚好，李德裕自然视其为眼中钉。

杜牧被贬出朝后虽感到很是落寞，却并未自暴自弃。仅仅三年时间，他便将黄州治理得欣欣向荣。由此可见，他其实是个极具政治才能之人，只可惜遭逢祸乱朝堂多年的牛李党争，一生都没有多少施展才华的机会。

杜牧后改任池州刺史、睦州刺史，在李德裕执政时期，他始终不能回朝。等到李德裕下野后，杜牧的好友周墀成为宰相，在外漂泊多年的杜牧才回朝担任司勋员外郎、史馆修撰，后转任吏部员外郎。不过他始终挂念着湖州的那个女孩，于是一再请求出任湖州刺史。

后来，杜牧终于如愿外放为湖州刺史。可是，此时距离当年之约已经过去了十四年之久，人家早已嫁人，如今已然成为两个孩子的母亲。听到这个犹如五雷轰顶的消息，他的心都碎了！

杜牧愤怒地质问："你之前既已允诺将女儿许配给我，为何还要背弃诺言呢？"

老妇人唯唯诺诺地回答："我们等了你十年。你始终没来迎娶我的女儿，眼见她一天天长大，老身也只得将她嫁人，你们之间注定有缘无分！"

杜牧自知理亏，不便为难老妇人，却仍旧放不下那个千挑万选才选中的女孩子，于是写下了《叹花》：

自恨寻芳到已迟，往年曾见未开时。

如今风摆花狼藉，绿叶成阴子满枝。

春日已过，鲜花凋零，红芳褪尽，芳华已逝，面对此情此景，杜牧不仅感慨美人不得，更感慨自己壮志难酬！

杜牧很快便离开了伤心地湖州，回朝担任考功郎中、知制诰，之后升任中书舍人。一直郁郁不得志的杜牧在历经宦海沉浮后终于得到了朝廷的重用，不过此时的他却早已不是当初那个豪情满怀的有志青年，已然成为日渐迟暮的老者。

杜牧重新整修了祖上留下来的樊川别墅，闲暇之时经常在这里以文会友。随着年岁渐长，很多人他已然看清，很多事他已然看透。即便深秋时节置身在茂盛的山林之中，他也不再感时伤怀，而是尽情地欣赏着秋色的绚丽，写下那首著名的《山行》：

远上寒山石径斜，白云生处有人家。

停车坐爱枫林晚，霜叶红于二月花。

大中六年（公元 852 年）冬，病入膏肓的杜牧自知大限将至，搜罗生前文章付之一炬，仅仅留下了十之二三。他还亲自撰写了墓志铭，这篇铭文看似平实无奇，丝毫看不出文坛巨擘的风采，但细看之下却是大美至简、返璞归真的大手笔！

晓迎秋露一枝新，不占园中最上春。

桃李无言又何在，向风偏笑艳阳人。

牛李两党人士交替执政，你方唱罢我登场，斗得你死我活，中书省时常更换主人。衙署院中种有很多紫薇花，它们始终笑看云卷云舒，不与群花争春，不向主人献媚。在杜牧的眼中，他便好似那株紫薇花，面对疾风骤雨，依旧独守着刚直节操！

其实这首《紫薇花》才是杜牧最好的墓志铭！

智商出众，情商不够——温庭筠

“小山重叠金明灭，鬓云欲度香腮雪。懒起画蛾眉，弄妆梳洗迟。照花前后镜，花面交相映。新帖绣罗襦，双双金鹧鸪。”这首《菩萨蛮》曾因《甄嬛传》而名噪一时。如此温婉的文字出自花间词派始祖温庭筠之手，每个字似乎都散发着绮丽馥郁的花香。

曾经的温庭筠阳光向上、积极进取，也曾怀揣着一颗灼热的经世济用之心。然而他却与江河日下的大唐一样，最终成为一场华丽的凋零。

元和七年（公元812年），温庭筠生于太原。作为大唐开国功臣温彦博的后代，温庭筠无疑有着骄傲的过往，但父亲在他九岁的时候便去世了，温庭筠兄弟姐妹四人只得跟随母亲艰难度日。

好在温庭筠父亲的生前好友段文昌对他们施以援手，才使得温庭筠告别了衣食无着的日子。段文昌拜刑部尚书，温庭筠也跟随他来到了杜陵县，与他的儿子段成式结伴读书。

段文昌后来离京担任淮南节度使、荆南节度使、剑南西川节度使，温庭筠也是一路相随。大和九年（公元835年），段文昌在成都去世，二十四岁的温庭筠无奈地告别了段家，独自启程返回长安。

温庭筠虽才高八斗，但他的科考之路却是极其坎坷。科考录取并非完全按照考生的试卷成绩，还会受到很多因素的影响，温庭筠虽在考场上屡屡失利，却并未影响他学霸的名头，以至于很多考生都愿意与他结交。

温庭筠与令狐绹之子令狐滈、裴度之子裴諴成为终日厮混在一起的酒肉朋友，沉迷于酒色与赌博之中难以自拔。正是温庭筠的放纵使得他背负了坏名声，以至于很多主考官都觉得他有才无德，难堪大任，屡屡让其落第。

进士科考试总共考三场。第一场为帖经，考试范围为大经《礼记》《左传》中选一部，外加《老子》原文和注释或《尔雅》；第二场为杂文，主要考诗赋，偶尔也会考箴、铭、论、表等应用文；第三场为试策，共有试题五道。关于试策题目的组成曾发生过激烈争论，最终确定为经史策三道，时务策两道，贯彻了经史与时务兼顾的原则。但具有决定作用的还是第二场。

进士科考试对所考的诗的格律、体裁均有着较为严格的规定，讲究文辞华美、端庄典雅、声韵协调；形式多为五言六韵十二句排律诗，偶尔也会有五言八韵或四韵（即十六句或八句）诗；全诗前两句要见题，中间要两两对仗，最后两句作结。所考的赋其实就是诗的变体，也可以视为骈体文的诗化，对于对偶和用典也有着严格要求，还限定韵脚，通常限为八韵，成文一般在 360 ~ 380 字。

考试时，考官会发给每个考生三根大蜡烛，三根蜡烛烧完前，要作完诗赋。由于诗的字数较少，还好应付，最难的当属八韵的赋。考生们常常为了写赋绞尽脑汁，抓耳挠腮，于是有人吐槽道："三条烛尽，烧残举子之心；八韵赋成，惊破侍郎之胆。"

三根蜡烛烧尽，八韵赋犹未写成的考生大有人在，可温庭筠却可以轻松碾压一众竞争者，根本就不用打草稿。他把手放到袖子中、身子伏在几上便可信口吟诵，号称“温八吟”。也有人说他一叉手（两手相拱为叉）即成一韵，叉八次手便能完篇，又号“温八叉”。

由于温庭筠总能轻松地答完考卷，在剩余的时间里他总会热心地帮助其他考生。甚至一些邻座的考生都不用自己答卷，因为温庭筠会亲自上手帮他们答。在他大公无私的帮助下，许多考生如愿高中，唯独他自己屡屡名落孙山。不过他代人捉刀的名气却越来越大，以至于成为“天下第一枪手”！

为了维护考场纪律，主考官将温庭筠安排在一个单间之中，还特地在门前垂下帘子，想要彻底隔绝他与其他考生的联络。即便如此，他仍旧积极想办法，排除万难，通过口授答案等方式帮助八名考生顺利完成了答卷。

大中六年（公元852年），温庭筠怀着激动的心情见到了自己的偶像杜牧。无论是放浪形骸的行事风格，还是温婉细腻的艺术手法，他与年轻时的杜牧都太像了。

杜牧比温庭筠大九岁，之前一直郁郁不得志的他，此时却迎来了职业生涯的巅峰：先任考功郎中（从五品上阶）、知制诰，后升任中书舍人（正五品上阶）。就在所有人都以为蹉跎大半生的杜牧还会更上一层楼时，他却不幸去世。温庭筠希望杜牧举荐自己的愿望也就此落空！

不过温庭筠很快便得到了宰相令狐绹的赏识。令狐绹是宣宗皇帝最赏识的宰相，身居相位长达十年之久，不过他时常对人说："吾十年秉政，最承恩遇，然每延英奏事，未尝不汗沾衣也！"令狐绹虽最受宣宗皇帝器重，但每次朝见皇帝时都会紧张得汗流浃背，可见宣宗皇帝要求之严、威慑力之大。

正因如此，令狐绹每次都会提前有所准备。听闻宣宗皇帝喜欢《菩萨蛮》，令狐绹便将温庭筠所作《菩萨蛮》进献给唐宣宗，却谎称是自己所作。为防露馅，他曾三番五次地告诫温庭筠千万不能将此事泄露出去，若是让宣宗皇帝知晓了，那可是欺君大罪。温庭筠虽满口应承，最终却没能管住自己的嘴，还是将此事说了出去。

宣宗皇帝所作的诗中有"金步摇"一词，令狐绹思来想去也想不出合适的对仗词，便让温庭筠来对，温庭筠脱口而出"玉条脱"。令狐绹借进宫之机说与宣宗皇帝听，宣宗皇帝听后连连称妙。

"金步摇"是一种插在头上的金制头饰，会随着女子走动而不停摇摆，因此得名。"玉条脱"是一种玉质臂饰，类似于如今的镯子。金对玉，步摇对条脱，对仗工整，内涵相合。

可令狐绹并不知晓"玉条脱"究竟是什么东西，温庭筠见此情形居然有些飘飘然，说"玉条脱"出自《南华经》(即《庄子》)，还说："《南华经》并不是什么冷僻的书，您在处理公事之余应该多读点儿古书。"令狐绹的脸色顿时便阴沉下来，觉得一介布衣温庭筠简直是不知天高地厚！

《南部新书》曾记载宣宗皇帝有意将温庭筠定为甲科进士，却因令狐绹从中作梗而作罢。这段记载的真伪已然难以考证，不过温庭筠与令狐绹的关系日趋紧张却是不争的事实。

温庭筠曾公然讽刺令狐绹为“中书省内坐将军”。在他的眼中，贵为宰相的令狐绹其实是不爱读书的不学无术之徒。不过多年以后，他却在《李羽处士故里》一诗中懊恼地写道：

终知此恨销难尽，辜负南华第一篇。

温庭筠虽其貌不扬，却因才华出众而得到了天才女诗人鱼玄机的爱慕。鱼玄机原名幼薇，字蕙兰，父亲是个落魄的读书人，因病过世后，鱼幼薇母女为了生计只好寄居在妓院中帮人洗衣。

温庭筠与杜牧同样对青楼情有独钟。那一年，他与年仅十一岁的鱼幼薇邂逅，见她聪明伶俐，才学出众，便将其她收为弟子，悉心传授。情窦初开的鱼幼薇渐渐对这位无所不知的恩师萌生了些许朦胧的情愫。

不过温庭筠后来却离开了长安，鱼幼薇顿觉心中空落落的，接连修书几封表白心迹。温庭筠虽生性风流，但碍于彼此间多达三十二岁的年龄差，最终还是守住了师生间的界限。温庭筠将少年才子李亿介绍给鱼幼薇，原以为才子邂逅才女必将琴瑟和鸣、相得益彰，谁知他的善举最终却害了这位爱徒。

起初，李亿待鱼幼薇很好，但婚姻并不只是两个人的事，而是两个家庭的事。鱼幼薇早年因生活所迫长期混迹于青楼之中，但李亿却出自书香门第，李亿的父母自然无法容忍自己的儿子带着这样一个女子进门，于是不由分说便将鱼幼薇赶出了家门。

李亿万般无奈之下只得暂且将鱼幼薇安置在一座道观之中，承诺三年后必会来接她。鱼幼薇自此有了“玄机”这个道号。

三年等待终成空，绝望的鱼玄机变得放纵而又叛逆，不计其数的男人成为她的入幕之宾，原本用作修行的道观被她搞得乌烟瘴气。鱼玄机因争风吃醋竟然将自己的贴身丫鬟绿翘鞭打致死。事发后，鱼玄机被判处死刑。那一年她只有二十六岁，却因一时的过激行为而香消玉殒。

远在千里之外的温庭筠听到这个噩耗后痛心疾首，却束手无策。巧合的是，审理此案的竟是温庭筠的远亲京兆尹温璋。咸通十一年（公元870年），温璋被贬为振州司马，不久后服毒自尽，这一切或许都是命中的因果！

温庭筠当初之所以选择离开鱼幼薇，是因为他的仕途有了起色——他被山南东道节度使徐商征辟为巡官，当时所带京衔为检校员外郎（从六品上阶）。不过这段任职经历仅仅维持了一年左右的时间。

徐商入朝担任刑部尚书，温庭筠只得转投荆南节度使萧邺门下充作幕僚。不过他混得并不如意，于是上书令狐绹请求举荐自己，但这封书信却是石沉大海。

咸通四年（公元863年），温庭筠途经繁华的扬州。扬州带给杜牧的是恋恋不舍，但带给他的却是奇耻大辱！

堂堂朝廷命官温庭筠居然受到一个虞候赤裸裸的挑衅，以至于双方大打出手。但一介书生又怎会是赳赳武夫的对手，他的脸庞被打伤，门牙被打落。

公然受到如此侮辱，温庭筠含恨将此事诉至淮南节度使令狐绹那里。他自认为曾是令狐绹门客，是非曲直又一目了然，已是胜券在握。谁知令狐绹居然判决那个虞候无罪。怒不可遏的温庭筠不肯善罢甘休，前往长安致书朝廷要员，想要为自己无辜被打申冤，却是维权无果。

其实明眼人都能看得出，若是没有令狐绹这位封疆大吏的暗中指使，与温庭筠素来无冤无仇的虞候没有理由，更没有胆量公然殴打温庭筠。

令狐绹早就对自高自傲的温庭筠心生不悦，不过却碍于宰相身份不便发作，以免因小失大。如今他已然成为手握生杀予夺大权的封疆大吏，自然也就没有那么多顾忌。温庭筠此番前来扬州居然不曾专程拜谒于他。在新仇旧恨的驱使之下，令狐绹决意要好好地教训教训这个不知天高地厚的后生！

咸通七年，温庭筠被调回长安，在国子监担任国子助教，主持当年的秋试，却因坚持以才取士而触怒了宰相杨收，被贬为方城县县尉。

好友纪唐夫曾在《送温庭筠尉方城》中这样评价他："凤凰诏下虽沾命，鹦鹉才高却累身。"温庭筠虽时常流连于青楼之中，也写了无数浓词艳调，却都不过是些附庸风雅之作。他放达不羁的外表下其实藏着一颗忧国忧民之心，不管走了多远，也不管走了多久，始终未曾忘记自己为什么而出发。只可惜如今盛唐气象早已不复存在，心怀天下却又个性十足的温庭筠在政局日趋黑暗的晚唐已无立足之地，只能随着远去的大唐盛世一同凋零。

温庭筠或许意识到了这些，来到方城后不久便郁郁而终。

温庭筠才华出众，胸怀梦想，却又放浪成性，散漫成习；尽兴而活，无视权贵，智商出众，情商却又常常不在线，以至于大半生都求官无路，四处碰壁。与他同时代的杜牧与李商隐仕途虽然都不得志，却也只是升迁缓慢，位不配才；比他小二十四岁的韦庄六十岁才进士及第，却位至宰相。

唯有温庭筠大半生都无官可当，步入仕途后又连遭贬谪。虽然他留下了许多优美的诗词，但他的职业生涯实在太过纯粹了，纯粹到只有失败的教训，毫无成功的经验！

高龄入仕却位至宰相——韦庄

韦庄无疑是一个传奇般的存在，他六十岁进士及第，后来竟成为位高权重的宰相。他将大唐视为心灵的归宿，却一不小心成了大唐终结者。他虽在官场中混得风生水起，却是一个深情且懂情之人，尤其是他的爱情诗哀婉缠绵，刻骨铭心，总会带给人无限的哀伤。

韦庄与温庭筠并称为“温韦”。王国维曾这样评价他们：“飞卿（即温庭筠）句秀，端己（即韦庄）骨秀，重光（即南唐后主李煜）神秀。”温庭筠的诗句秀在句，韦庄的诗词秀在骨——秀美的气质是骨子里的，而不在眉眼肌肤之间，可见王国维对韦庄评价之高！

韦庄之所以会有如此之高的文学造诣，家族的熏陶是重要原因之一。他出生于世族大家京兆韦氏，七世祖韦待价为睿宗朝宰相，四世祖韦应物为著名山水田园诗人。韦庄也曾想像祖上韦应物那样自由洒脱，无拘无束，却又生不逢时。此时的大唐已然是江河日下，曾经权势煊赫的韦家也已家道中落。

韦庄曾是个活泼爱调皮的熊孩子，后来忆起自己的那段童年时光，写下一首《涂次逢李氏兄弟感旧》：

御沟西面朱门宅，记得当时好弟兄。

晓傍柳阴骑竹马，夜隈灯影弄先生。

巡街趁蝶衣裳破，上屋探雏手脚轻。

今日相逢俱老大，忧家忧国尽公卿。

小韦庄与小伙伴们时常在柳荫下玩骑竹马，在灯影下玩皮影戏，在花丛中抓蝴蝶时竟然将自己的衣服划破，跳上房抓小鸟却不怕危险。那时无忧无虑的小韦庄是如此的快乐！

小韦庄也曾因沉迷于游乐嬉戏而有过逃学的经历。他在《下邽感旧》中写道：

昔为童稚不知愁，竹马闲乘绕县游。

曾为看花偷出郭，也因逃学暂登楼。

不过韦庄的父母早亡，又没有给他留下多少家产，这使他很早便体会到世事艰辛与世态炎凉。正因如此，他成为一个节俭到近乎吝啬的人。每次做饭的时候，下多少米都有固定的数量，即便是烧饭用的柴也要事先称好。若是吃肉，哪怕是少了一片他都会发现。韦庄的儿子八岁时夭折了，入葬时，妻子为孩子穿上生前最喜欢的衣服，却被韦庄残忍地剥了下来，转而裹上一层旧草席。更为奇葩的是，韦庄连草席都舍不得为儿子随葬，居然又把它带回了家。

韦庄在贫寒中度过了自己的幼年、少年与青年时期，虽屡经磨难，却始终未曾自暴自弃，而是发奋苦读，想着有朝一日能够重振家族雄风。可他不曾料到，自己的从政之路居然会如此坎坷。

韦庄早年曾在北都留守刘潼等人手下担任幕僚，可他却属于并无出身的白衣，若想通过“入幕”这种方式当上官极其困难，所以混了好些年都没能混出个名堂来。

广明元年（公元 880 年），四十五岁的韦庄来到长安参加科考。他已经不记得这是自己第几次踏入考场了，可他不曾忘记，自己之前总是满怀希望而来，带着绝望而归。不过这次来他却格外自信，渴望着如前辈孟郊那样“一日看尽长安花”。谁知他看到的却是满眼的菊花！

多年前，黄巢也如韦庄那样来长安参加科考。他出身于曹州冤句一个世代贩卖私盐的家庭，虽并非出身书香门第，却仍旧像很多人那样怀有科举入仕的梦。可他的文化功底实在有限，又没有什么举荐的门路，故而屡次参加科考都未能及第。

屡屡名落孙山的黄巢满怀激愤地写下了一首《不第后赋菊》：

待到秋来九月八，我花开后百花杀。

冲天香阵透长安，满城尽带黄金甲。

当时的黄巢不会想到，自己带着怒气写就的这首诗居然会在若干年后成为现实。

自从写下这首诗，黄巢便彻底断了读书入仕的念想，干上了贩卖私盐的营生。在此期间，他结识了同样以贩卖私盐为业的同乡王仙芝，两人因志趣相投很快便成为同生共死的好兄弟。在与官府的缉私斗争中，本就身强力壮的黄巢练就了一身好武功，也给人留下了善于骑射、做人仗义、干事义气的好印象。

乾符元年（公元 874 年），山东、河南等地发生水旱灾害，各州县官员却在欺上瞒下，以至于治下百姓流离失所，民不聊生，苦不堪言，只得揭竿而起，自谋生路，一时间盗贼成群，义军遍地。内地州县兵员本就不多，又因太平日子过久了，长期不习战阵，遇上稍稍凶狠些的盗贼便不战自溃。就在这一年，王仙芝聚拢数千人起事，黄巢也聚拢起一批人马，后来与王仙芝合兵一处。

广明元年（公元880年），经过六年的浴血奋战，黄巢这位曾经的过客竟成了长安的主人。他在气势恢宏的大明宫含元殿即皇帝位，国号“大齐”，大赦天下。不过志得意满的黄巢却并未追击望风而逃的僖宗皇帝李儇，这给了大唐喘息之机，也导致了他日后的覆灭。

来不及逃走的韦庄被困在长安城中。人到中年的他奋斗半生，收获的却是满地狼藉，一夕之间，不仅科考之梦破灭了，就连回家的路也被截断。在接下来的两年时间里，他身陷战火纷飞的长安，东躲西藏，朝不保夕。

无试可考的韦庄悲愤地写下《关河道中》:

槐陌蝉声柳市风，驿楼高倚夕阳东。

往来千里路长在，聚散十年人不同。

但见时光流似箭，岂知天道曲如弓。

平生志业匡尧舜，又拟沧浪学钓翁。

回首这些年的科考路，有的人高中进士，有的人却名落孙山，人生之路坎坷如此，似乎连天道都无法圆满。虽然接连受挫，韦庄却仍旧胸怀大志，希望有朝一日能够辅佐尧舜这样的明君。不过他渐渐放弃了庙堂理想，选择成为隐居的渔翁，只想钓一竿风月。

中和二年（公元 882 年），面对愈加严峻的形势，黄巢一筹莫展。他长期以来习惯于流动作战，常常是攻下一城便会放弃一城，始终未能建立起稳固的根据地，也得不到充足的供给。关中地区的粮食压根养活不了几十万义军士卒，其他地区的粮食又迟迟运不过来，以至于黄巢麾下将士窘迫到用树皮充饥的悲惨境地。随着手下大将朱温降唐，黄巢似乎听到了覆亡的钟声。

就在这一年，惶惶如丧家之犬的韦庄趁机逃离了乱哄哄的长安，辗转来到洛阳，生活也得以暂时安定下来。

在随后一个又一个寂静的夜里，身在洛阳的韦庄挑灯夜战，奋笔疾书。他有感于那场席卷大唐的大变乱，用文人独特的眼光和锋利的笔触写就《秦妇吟》。这篇巨制与汉乐府《孔雀东南飞》和南北朝乐府《木兰诗》并称为“乐府三绝”。

韦庄借一位逃难妇女之口在开篇写道：“……借问女郎何处来？含颦欲语声先咽。回头敛袂谢行人，丧乱漂沦何堪说！”在那个动荡的时代，《秦妇吟》犹如一柄利剑，一出鞘便光芒万丈，直抵读者内心，刚一问世便被世人争相传颂，甚至到了“谈文皆言《秦妇吟》”的程度。

不过此时的韦庄并没有时间庆贺，因为战火很快便烧到了洛阳。

面对残酷而又血腥的战争，韦庄这个文弱书生虽是痛心疾首，却也无可奈何，只得带着家人避居江南。

在这段时间里，韦庄深深地爱上了山清水秀、风景如画的江南，爱那里的春水碧天与红楼香灯，爱那里的吴侬软语与琵琶黄莺，爱那里的皓腕凝霜与满楼红袖，爱那里的烟柳小巷与小桥流水。

温婉的江南也抚慰着韦庄那颗饱经沧桑的心。他在江南一待便是数年之久，他的文风也因受到江南文化的熏陶而悄然发生着变化。

韦庄的笔下充斥着江南美景，有“碧沼红芳烟雨静”的朦胧美，有“桃花春水渌”的诗意美，还有“画船听雨眠”的闲适美。在蔚蓝如洗的天空下，在澄澈明净的江水上，横卧在画船之中听着潇潇雨声，那是何等的自在！

尽管如此，韦庄依旧会生出“避世移家远，天涯岁已周”“万里逢归雁，乡书忍泪封”的乡愁，还会生出“洛阳城里春光好，洛阳才子他乡老”的无奈。他爱江南的景，却也想着洛阳的人，那个弹琵琶的倩影深深镌刻进他的心中，却不知此生还能否再相逢。

在江南的日子虽过得惬意，韦庄却无时无刻不想着离开，继续去长安寻他远大的前程！

夜夜相思更漏残，伤心明月凭阑干，想君思我锦衾寒。

咫尺画堂深似海，忆来唯把旧书看，几时携手入长安？

乾宁元年（公元 894 年），韦庄辗转回到了心心念念的长安。曾经不可一世的黄巢已然战死十年之久，此时的大唐再也不是昔日的大唐，长安再也不是昔日的长安，繁华落尽，满眼凄凉，故人不在，佳人难寻，有的只是凄风苦雨，还有尚未彻底消散的硝烟。

历尽沧桑的韦庄遍尝人间疾苦后终于尝到了生活中的甜，如愿以偿地进士及第。此时的他已六十岁了，虽然这次成功来得很迟，却还是带给他无尽的喜悦。

由于朝廷正值用人之际，韦庄很快便被授予校书郎。不过此时朝廷实际管辖的区域只有长安周边区域，财政收入少得可怜，支出却依旧大得惊人，似韦庄这样的微末小官时常会被朝廷拖欠工资，生活可谓异常艰难。

两鬓斑白的韦庄不禁又想起了曾经的年少轻狂，想起了曾经的豪情万丈，可如今这些都已随风散去，他无奈地写下了《忆昔》:

昔年曾向五陵游，子夜歌清月满楼。

银烛树前长似昼，露桃华里不知秋。

西园公子名无忌，南国佳人号莫愁。

今日乱离俱是梦，夕阳唯见水东流!

乾宁三年（公元896年）春，西川节度使王建与东川节度使顾彦晖兵戎相见，烽烟四起，生灵涂炭。朝廷命左谏议大夫李洵为朝廷大使前往四川进行调和，韦庄在李洵麾下充任判官。

兵强马壮的王建却将朝廷诏书扔在一边，仍旧肆无忌惮地率军征讨顾彦晖。随着顾彦晖的战败，王建也如愿以偿地占据了东川之地。

这是韦庄与王建的第一次会面，飞扬跋扈的王建虽不将朝廷放在眼里，却颇为欣赏韦庄这个谈吐不俗的小官。王建希望能将韦庄招至自己麾下效力，却被他委婉地拒绝了，因为此时他还割舍不下心中的大唐。

尽管韦庄早就意识到如今的大唐已然病入膏肓，即便是华佗、扁鹊在世恐怕也无能为力，不过他的心中仍旧残存着最后一丝希望。遗憾的是，这丝希望很快便破灭了。

光化三年（公元900年）十一月初六，一场政变在晨曦的笼罩下突然而至。面对难以重整的河山，昭宗皇帝李晔时常闷闷不乐，纵情饮酒，酒醉之后又总是喜怒无常，以至于他身边人人自危——要知道，就在前一日夜里，烂醉如泥的昭宗皇帝还通过杀人来发泄内心的愤懑。

左神策军中尉刘季述、右神策军中尉王仲先要挟宰相召集百官在同意“废昏立明”的诏书上署名，随后带兵入宫，罢黜了昭宗皇帝，还假传圣旨命太子李裕监国，进而拥立李裕为新皇帝。

昭宗皇帝被囚禁在东宫少阳院。刘季述熔化铁水浇铸到锁眼中，希望借此彻底断绝昭宗皇帝对自由的渴望。昭宗皇帝与外界唯一的联系通道便是一扇窄窄的窗，通过这扇小窗，昭宗皇帝获得了宦官递送过来的食物。

面对无可救药的朝廷，老泪纵横的韦庄感到了深深的绝望。他在《赠云阳裴明府》中无奈地写道：“已闻陈胜心降汉，谁为田横国号齐。”田横为秦末起义首领，因不肯称臣于汉而自杀，但此时的韦庄已然下定决心背弃心中的大唐，决意投奔王建。王建虽偏安四川一隅，但他若是到了那里，或许也会如诸葛亮那般尽情地施展才华。

听闻韦庄前来归附，喜出望外的王建随即任命他为掌书记。身为乱世枭雄的王建并未看错人，韦庄自幼遍尝世间冷暖，此后又久经风雨磨炼，并非如李白、孟浩然、李贺等人那般只会吟诗作赋，而是有着出众的政治智慧与独特的政治眼光。

天祐元年（公元 904 年）八月，昭宗皇帝被权臣朱温杀害，王建胸怀光复中原、匡扶唐室的大志，决意以朱温弑君为名北征，却被韦庄劝阻。韦庄认为兵家大事不可轻举妄动，况且如今朱温兵强马壮，若是贸然与之一战，后果不堪设想。

两年后，朱温主动向王建示好，还尊称王建为兄。韦庄告诫王建，朱温素有觊觎四川之心，叮嘱王建对野心勃勃的朱温务必要提高警惕，以防落入朱温精心设置的圈套。王建觉得韦庄言之有理，始终对朱温保持高度戒备，这才保住了自己的地盘。

天祐四年（公元 907 年）三月，唐哀帝被迫将皇位“禅让”给权臣朱温，后者改元开平，国号为梁，以开封为国都，史称后梁，历史也就此进入了混乱黑暗的五代十国时期。

韦庄闻讯后悲痛不已，虽然他早就知道迟早会有这么一天，但当这一天真的来临，他还是难以接受。

头脑清醒的韦庄并未一味地沉浸在痛苦之中，而是与诸位将领共同劝进王建说：“大王素来忠于唐室，但大唐如今已然亡了，天赐良机，不可错失。”

韦庄率官吏民众大哭三天后，拥戴王建即皇帝位。王建投桃报李地任命韦庄为左散骑常侍，后升任吏部侍郎、同中书门下平章事。他六十岁科举及第，经过十余年的奋斗终于登上宰相之位，虽并非大唐的宰相，却依旧可以聊以自慰！

韦庄流离失所大半生，来到成都才算是找到了自己的归宿。这里虽不及他最爱的江南，他却再也不用颠沛流离了。

韦庄来到浣花溪畔的杜甫故居，仿佛隔着时空与杜甫互诉衷肠。他不断感叹命运是何等神奇：他自幼父母双亡，屡经坎坷，六十岁出仕，却出仕即巅峰；虽只限于四川一地，却可以在这里挥斥方遒，激扬文字。

韦庄没有想到自己的后半生会在成都度过，其实他就犹如被裹挟在时代洪流中的一粒沙，常常身不由己，却又无可奈何。他至死都深爱着大唐，可大唐气数已尽，他这个微不足道的小官又能改变得了什么呢？

韦庄是个很懂变通的人：既然救不了，那么便不去救；既然不能兼济天下，那么便在四川尽情追逐自己的政治梦想！

“睡觉寒炉酒半消，客情乡梦两遥遥。

无人为我磨心剑，割断愁肠一寸苗。”

在寒冷而又漫长的冬夜，韦庄辗转反侧，久久难以入眠。他索性披上衣服，倚靠着火炉，温上一壶酒，一个人小酌起来。

在半醉半醒间，韦庄又想起了遥远的故乡。四川有着独特的美，不过在他的眼中，无论是一川江水，还是几座青山，似乎都藏着他漂泊无依的愁绪。

他思念着心中的故乡，却不知故乡究竟在何处：是长安，还是洛阳，抑或是江南？或许正如苏轼所言，“此心安处是吾乡”。

他不止一次想过要回去，回到繁盛一时的大唐，回到念念不忘的江南，但如今却都成了奢望。回不去的不仅是江南，还有繁华的洛阳，还有已然成为一片瓦砾的长安。那里葬着他破碎的梦，还有无数人对美好过往的念想！

一扇小窗，一面白墙，一地青石，还有回眸一笑的佳人、皓腕明眸的歌姬。眼前的风景有些熟悉，仿佛是前世的故人，却又是如此的陌生。

恍然梦及，醒来成空，韦庄曾不止一次地告诉自己，大唐的确已经亡了，过去永远也回不去，长安永远也回不去！

| 延伸阅读 | 唐朝官员的假期与出行

李商隐在弘农任职期间屡受排挤，一气之下请了长假；白居易因病假超过一百天而被免职。唐朝官员都有哪些假期，又有着怎样的请假流程呢？

我国古代每月分为上、中、下三旬，唐朝官员每工作九天便可休假一日，称为“旬假”。然而，由于政务繁忙，官员们常会在旬假时去单位加班，直到永徽三年二月十一日，高宗皇帝李治亲自下诏，旬假时官员一律在家休息，休假权才得到了切实保障。

唐朝官员还可以请各种事俗假，如农历五月会给 15 日田假，官员可以回家耕种；农历九月会给 15 日授衣假，既为秋收，也便于从家里拿些厚衣服为过冬做准备。祭拜、改葬先人可以请祔祭假，此外还有探亲假。若是父母健在，可以请定省假；若是父母已故，可以请拜墓假；自己或五服内的亲戚举行冠礼仪式，可以请冠礼假；结婚可以请婚假；五服内的亲戚去世可以请丧假，丧假的请假范围远远大于今天。由于官员到外地赴任前既要收拾行李，还要与亲戚朋友告别，朝廷也会贴心地给装束假。装束假与程假分开计算：前者是收拾东西、与亲友告别的假，在期满前上路就行；赴任途中所需时日计入程假。

每月官员还有两天时间来处理个人事务，后来又增加为三天，但不能使用公家的车马。若官员临时有事，可以请事假；生病了，也可以请病假。病假期满仍未痊愈可以延长假期，但不得超过一百日，若超过将会被免去职务。对于六品以下官员而言，若想重新任职需要参加铨选，竞争压力很大，很多人因此失业；但五品以上官员被免职时往往会得到新职务，比如白居易因长期请病假被免去刑部侍郎之职，但同时被授予闲职太子宾客、分司东都，过上了没有工作压力的惬意生活。